周作人著作

看云集

锺叔河——编订

岳麓书社·长沙

开明本《看云集》

编者的话

钟叔河

一九八七年一月七日《光明日报》上，岳麓书社刊出了我拟稿的一帧广告（左图），宣布了书社和我对重印周作人著作的观点：

“人归人，文归文。周作人其人的是非功过是另一问题，其书的主要内容是对传统文化和国民性进行反思，对中国—西方和中国—日本的文化历史进行比较研究，今之读者却不可不读。……”

随即便开始出书。既出周作人著作的单行本，也出精装合订本。两年之间，出了二十四种。

书当然不是想出便能出的，得按规矩，走程序。周家授权了，报告批复了，宋木文、杨牧之、伍杰各位领导都当面或来信表示应允和支持了，便能够出了。

出就得出好。当时强调了两条：（一）因为均系据旧本重印，所以一定要认真校订，尽力改正旧本误植失校的错误；（二）因为手稿不存，无法对勘，所以一定要详出校记，改动处一概保留原文，承担责任。

这两条，读者看来大都是认可的。直到如今，在旧书网上，八十年代"岳麓版"的周作人著作，始终都卖得不错。

现在，岳麓书社决定又来重版周作人著作，仍然要我负责编订，做法则一仍其旧。还是这些书，还是这两条，新的广告也就不必再做了。

鄢琨君三十年前和我同编了这些书，此次仍然合作，所有案头工作都是他做，各书重版说明也多是他写的。校记原列表在书末，如今改作尾注。鄢君新增校改之处，标出"鄢校"，特此说明，并志感谢。

二〇一八年五月十五日于长沙。

重版说明

《看云集》，一九三二年十月开明书店初版，有自序一篇，收周作人一九二八年至一九三一年间所作文四十篇，包括《三礼赞》（《娼女礼赞》《哑吧礼赞》《麻醉礼赞》）、《草木虫鱼》八篇和《伟大的捕风》等，都是他散文创作前期的重要作品。

还有《专斋随笔》十篇。《〈专斋漫谈〉序》因“《漫谈》未续写”，已移作《永日集》的代跋，随后写的《专斋随笔》十篇（《西班牙的古城》《希腊的古歌》等）却收入本集了。

《村里的戏班子》一篇，用的是短篇小说的写法。《关于征兵》一篇，则为在北京大学的演讲稿，是书稿编校完毕后补寄给开明书店才入集的。

本社一九八八年九月据开明本校订印行，此次仍据该本加校重版。

目 录

自序

把过去两年的文章搜集起来，编成一册书，题曰《看云集》。光阴荏苒大半年了，书也没有印出来，序也没有做得。书上面一定要有序的么？这似乎可以不必，但又觉得似乎也是要的，假如是可以有，虽然不一定是非有不可。我向来总是自己作序的，我不曾请人家去做过，除非是他们写了序文来给我，那我自然也是领情的，因为我知道序是怎样的不好做，而且也总不能说的对或不错，即使用尽了九牛二虎之力去写一篇小小的小序。自己写呢，第一层麻烦着自己比较不要紧，第二层则写了不好不能怪别人，什么事都可简单的了结。唠叨的讲了一大套，其实我只想说明序虽做不出而还是要做的理由罢了。

做序之一法是从书名去生发，这就是赋得五言六韵法。看云的典故出于王右丞的诗，“行到水穷处，坐看云起时”，照规矩做起来，当然变成一首试帖诗，这个我想似乎不大合式。其次是来发挥书里边——或书外边的意思。书里边的意思已经在书里边了，我觉得不必再来重复的说，书外边的或者还有点意思罢。可是说也奇怪，近来老是写不出文章，也并不想写，而其原因则都在于没有什么意思要说。今年所作的集外文拢总只有五六篇，十分之九还是序文，其中的确有一篇我是想拿来利用的，就是先给《莫须有先生》当序之后再拿来放在《看云集》上，不过这种一石投双鸟的办法有朋友说是太取巧了，所以我又决意停止了。此外有一篇《知堂说》，只有一百十二个字，录在后面，还不费事。其词曰：

孔子曰，知之为知之，不知为不知，是知也。荀子曰，言而当，知也；默而当，亦知也。此言甚妙，以名吾堂。昔杨伯起不受暮夜赠金，有四知之语，后人钦其高节，以为堂名，由来旧矣。吾堂后起，或当作新四知堂耳。虽然，孔荀二君生于周季，不新矣，且知亦不必以四限之，因截取其半，名曰知堂云尔。

这是今年三月二十六日所写的，可以表示我最近的一点意见，或者就拿过来算作这里的序文也罢。虽然这如用作《知堂文集》的序较为适当，但是这里先凑合用了也行，《知堂文集》序到要用时再说可也。

中华民国二十一年七月二十六日，周作人，于北平。

□三礼赞

娼女礼赞

这个题目，无论如何总想不好，原拟用古典文字写作Apologia pro Pornês，或以国际语写之，则为Apologia por Prostituistino，但都觉得不很妥当，总得用汉文才好，因此只能采用这四个字，虽然礼赞应当是Enkomion而不是Apologia，但也没有法子了。

（民国十八年四月吉日，于北平）

贯华堂古本《水浒传》第五十回叙述白秀英在郓城县勾栏里说唱笑乐院本，参拜了四方，拍下一声界方，念出四句定场诗来：

新鸟啾啾旧鸟归，老羊羸瘦小羊肥，

人生衣食真难事，不及鸳鸯处处飞。

雷横听了喝声采。金圣叹批注很称赞道好，其实我们看了也的确觉得不坏。或有句云，世事无如吃饭难，此事从来远矣。试观天下之人，固有吃饱得不能再做事者，而多做事却仍缺饭吃的朋友，盖亦比比然也。尝读民国十年十月廿一日《觉悟》上所引德国人柯祖基（Kautzky）的话：

> 资本家不但利用她们（女工）的无经验，给她们少得不够自己开销的工钱，而且对她们暗示，或者甚至明说，只有卖淫是补充收入的一个法子。在资本制度之下，卖淫成了社会的台柱子。

我想，资本家的意思是不错的。在资本制度之下，多给工资以致减少剩馀价值，那是断乎不可，而她们之需要开销亦是实情：那么还有什么办法呢，除了设法补充？圣人有言，饮食男女，人之大欲存焉。世之人往往厄于贫贱，不能两全，自手至口，仅得活命，若有人为"煮粥"，则吃粥亦即有两张嘴，此穷汉之所以兴叹也。若夫卖淫，乃寓饮食于男女之中，犹有鱼而复得兼熊掌，岂非天地间仅有的良法美意，吾人欲不喝采叫好又安可得耶？

美国现代批评家里有一个姓们肯（Mencken）的人，他也以为卖淫是很好玩的。《妇人辩护论》第四十三节是讲花姑娘的，他说卖淫是这些女人所可做的最有意思的职业之一，普通娼妇大抵喜欢她的工作，决不肯去和女店员或女堂官调换位置。先生女士们觉得她是堕落了，其实这种生活要比工场好，来访的客也多比她的本身阶级为高。我们读西班牙伊巴涅支（Ibanez）的小说《侈华》，觉得这不是乱说的话。们肯又道：

牺牲了贞操的女人，别的都是一样，比保持贞洁的女人却更有好的机会，可以得到确实的结婚。这在经济的下等阶级的妇女特别是如此。她们一同高等阶级的男子接近，——这在平时是不容易，有时几乎是不可能的，——便能以女性的希奇的能力逐渐收容那些阶级的风致趣味与意见。外宅的女子这样养成姿媚，有些最初是姿色之恶俗的交易，末了成了正式的结婚。这样的结婚数目在实际比表面上所发现者要大几倍，因为两造都常努力想隐藏他们的事实。

那么，这岂不是“终南捷径”，犹之绿林会党出身者就可以晋升将官，比较陆军大学生更是阔气百倍乎。

哈耳波伦（Heilborn）是德国的医学博士，著有一部《异性论》，第三篇是论女子的社会的位置之发达。在许多许多年的黑暗之后，到了希腊的雅典时代，才发现了一点光明，这乃是希腊名妓的兴起。这种女子在希腊称作赫泰拉（Hetaira），意思是说女友，大约是中国的鱼玄机薛涛一流的人物，有几个后来成了执政者的夫人。

> 因了她们的精炼优雅的举止，她们的颜色与姿媚，她们不但超越普通的那些外宅，而且还压倒希腊的主妇，因为主妇们缺少那优美的仪态，高等教育，与艺术的理解，而女友则有此优长，所以在短时期中使她们在公私生活上占有极大的势力。

哈耳波伦结论道：

> 这样，欧洲妇女之精神的与艺术的教育因卖淫制度而始建立。赫泰拉的地位可以算是所谓妇女运动的起始。

这样说来，柯祖基的资本家真配得高兴，他们所提示的卖淫原来在文化史上有这样的意义。虽然这上边所说的光荣的营业乃是属于“非必要”的，独立的游女部类，与那徒弟制包工制的有点不同。们肯的话注解得好，“凡非必要的东西在世上常得尊重，有如宗教，时式服装，以及拉丁文法”，故非为糊口而是营业的卖淫自当有其尊严也。

总而言之，卖淫足以满足大欲，获得良缘，启发文化，实在是不可厚非的事业，若从别一方面看，她们似乎是给资本主义背了十字架，也可以说是为道受难，法国小说家路易菲立（Louis Philippe）称她们为可怜的小圣女，虔敬得也有道理。老实说，资本主义是神人共佑，万打不倒的，而有些诗人空想家又以为非打倒资本主义则妇女问题不能根本解决。夫资本主义既有万年有道之长，所有的办法自然只有讴歌过去，拥护现在，然则卖淫之可得而礼赞也盖彰彰然矣。无论雷横的老母怎样骂为“千人骑万人压乱人入的贼母狗”，但在这个世界上，白玉乔所说的“歌舞吹弹普天下伏侍看官”总不失为最有效力最有价值的生活法。我想到书上有一句话道，“夫人，内掌柜，姨太太，校书等长短期的性的买卖，真是滔滔者天下皆是”，恐怕女同志们虽不赞成我的提示，也难提出抗议。我又记起友人传述劝卖男色的古歌，词虽粗鄙，亦有至理存焉，在现今什么都是买卖的世界，我们对于卖什么东西的能加以非难乎？日本歌人石川啄木不云乎：

我所感到不便的，不仅是将一首歌写作一行这一件事情。但是我在现今能够如意的改革，可以如意的改革的，不过是这桌上的摆钟砚台墨水瓶的位置，以及歌的行款之类罢了。说起来，原是无可无不可的那些事情罢了。此外真是使我感到不便，感到苦痛的种种的东西，我岂不是连一个指头都不能触他一下么？不但如此，除却对了它们忍从屈服，继续的过那悲惨的二重生活以外，岂不是更没有别的生于此世的方法么？我自己也用了种种的话对于自己试为辩解，但是我的生活总是现在的家族制度，阶级制度，资本制度，知识买卖制度的牺牲。

（见《陀螺》二二〇页）

哑吧礼赞

俗语云，“哑吧吃黄连”，谓有苦说不出也。但又云，“黄连树下弹琴”，则苦中作乐，亦是常有的事。哑吧虽苦于说不出话，盖亦自有其乐，或者且在吾辈有嘴巴人之上，未可知也。

普通把哑吧当作残废之一，与一足或无目等视，这是很不公平的事。哑吧的嘴既没有残，也没有废，他只是不说话罢了。《说文》云：“瘖，不能言病也。”就是照许君所说，不能言是一种病，但这并不是一种要紧的病，于嘴的大体用处没有多大损伤。查嘴的用处大约是这几种，（一）吃饭，（二）接吻，（三）说话。哑吧的嘴原是好好的，既不是缺少舌尖，也并不是上下唇连成一片，那么他如要吃喝，无论番菜或是“华餐”，都可以尽量受用，决没有半点不便，所以哑吧于个人的荣卫上毫无障碍，这是可以断言的。至于接吻呢？既如上述可以自由饮啖的嘴，在这件工作当然也无问题，因为如荷兰威耳德（Van de Velde）医生在《圆满的结婚》第八章所说，接吻的种种大都以香味触三者为限，于声别无关系，可见哑吧不说话之绝不妨事了。归根结蒂，哑吧的所谓病还只是在“不能言”这一点上。据我看来，这实在也不关紧要。人类能言本来是多此一举，试看两间林林总总，一切有情，莫不自遂其生，各尽其性，何曾说一句话。古人云：“猩猩能言，不离禽兽；鹦鹉能言，不离飞鸟。”可怜这些畜生，辛辛苦苦，学了几句人家的口头语，结果还是本来的鸟兽，多被圣人奚落一番，真是何苦来。从前四只眼睛的仓颉先生无中生有地造文字，害得好心的鬼哭了一夜，我怕最初类猿人里那一匹直着喉咙学说话的时候，说不定还着实引起了原始天尊的长叹了呢。人生营营所为何事，“饮食男女，人之大欲存焉”，既于大欲无亏，别的事岂不是就可以随便了么？中国处世哲学里很重要的一条是，多一事不如少一事，如哑吧者，可以说是能够少一事的了。

语云：“病从口入，祸从口出。”说话不但于人无益，反而有害，即此可见。一说话，话中即含有臧否，即是危险，这个年头儿。人不能老说“我爱你”等甜美的话，——况且仔细检查，我爱你即含有我不爱他或不许他爱你等意思，也可以成为祸根。哲人见客寒暄，但云“今天天气……哈哈哈！”不再加说明，良有以也，盖天气虽无知，唯说其好坏终不甚妥，故以一笑了之。往读杨恽报孙会宗书，但记其“种一顷豆，落而为萁”等语，心窃好之，却不知杨公竟因此而腰斩，犹如湖南十五六岁的女学生们以读《落叶》（系郭沫若的，非徐志摩的《落叶》）而被枪决，同样地不可思议。然而这个世界就是这样不可思议的世界，其奈之何哉。几千年来受过这种经验的先民留下遗训曰，“明哲保身”。几十年来看惯这种情形的茶馆贴上标语曰，“莫谈国事”。吾家金人三缄其口，二千五百年来为世楷模，声闻弗替。若哑吧者岂非今之金人欤？

常人以能言为能，但亦有因装哑吧而得名者，并且上下古今这样的人并不很多，即此可知哑吧之难能可贵了。第一个就是那鼎鼎大名的息夫人。她以倾国倾城的容貌，做了两任王后，她替楚王生了两个儿子，可是没有对楚王说一句话。喜欢和死了的古代美人吊膀子的中国文人于是大做特做其诗，有的说她好，有的说她坏，各自发挥他们的臭美，然而息夫人的名声也就因此大起来了。老实说，这实是妇女生活的一场悲剧，不但是一时一地一人的事情，差不多就可以说是妇女全体的运命的象征。易卜生所作《玩物之家》一剧中女主人公娜拉说，她想不到自己竟替漠[①]不相识的男子生了两个子女，这正是息夫人的运命，其实也何尝不就是资本主义下的一切妇女的运命呢。还有一位不说话的，是汉末隐士姓焦名先的便是。吾乡金古良作《无双谱》，把这位隐士收在里面，还有一首赞题得好：

孝然独处，绝口不语，默隐以终，笑杀狐鼠。

并且据说“以此终身,至百馀岁”,则是装了哑吧,既成高士之名,又享长寿之福,哑吧之可赞美盖彰彰然明矣。

世道衰微,人心不古,现今哑吧也居然装手势说起话来了。不过这在黑暗中还是不能用,不能说话。孔子曰:“邦无道,危行言逊。”哑吧其犹行古之道也欤。

（十八年十一月十三日，北平）

【锺校】

①“漠”原作“膜”。

麻醉礼赞

麻醉，这是人类所独有的文明。书上虽然说，斑鸠食桑葚则醉，或云，猫食薄荷则醉，但这都是偶然的事，好像是人错吃了笑菌，笑得个一塌胡涂，并不是成心去吃了好玩的。成心去找麻醉，是我们万物之灵的一种特色，假如没有这个，人之所以异于禽兽者几希了。

麻醉有种种的方法。在中国最普通的一种是抽大烟。西洋听说也有文人爱好这件东西，一位散文家的杰作便是烟盘旁边的回忆，另一诗人的一篇《忽不烈汗》的诗也是从芙蓉城的醉梦中得来的。中国人的抽大烟则是平民化的，并不为某一阶级所专享，大家一样地吱吱的抽吸，共享麻醉的洪福，是一件值得称扬的事。鸦片的趣味何在，我因为没有入过黑籍，不能知道，但总是麻苏苏地很有趣罢。我曾见一位烟户，穷得可以，真不愧为鹑衣百结，但头戴一顶瓜皮帽，前面顶边烧成一个大窟窿，乃是沉醉时把头屈下去在灯上烧去的，于此即可想见其陶然之状态了。近代传闻孙馨帅有一队烟兵，在烟瘾抽足的时候冲锋最为得力，则已失了麻醉的意义，至少在我以为总是不足为训的了。

中国古已有之的国粹的麻醉法，大约可以说是饮酒。刘伶的“死便埋我”，可以算是最彻底了，陶渊明的诗也总是三句不离酒，如云“拨置且莫念，一觞聊可挥”，又云“天运苟如此，且进杯中物”，又云“中觞纵遥情，忘彼千载忧，且极今朝乐，明日非所求”，都是很好的例。酒，我是颇喜欢的，不过曾经声明过，殊不甚了解陶然之趣，只是乱喝一番罢了。但是在别人的确有麻醉的力量，它能引人着胜地，就是所谓童话之国土。我有两个族叔，尤是这样幸福的国土里的住民。有一回冬夜，他们沉醉回来，走过一乘吾乡所很多的石桥，哥哥刚一抬脚，棉鞋掉了，兄弟给他在地上乱摸，说道：“哥哥棉鞋有了。”用脚一踹，却又没有，哥哥道：“兄弟，棉鞋汪的一声又不见了！”原来这乃是一只黑小狗，被兄弟当作棉鞋捧了来了。我们听了或者要笑，但他们那时神圣的乐趣我辈外人哪里能知道呢？的确，黑狗当棉鞋的世界于我们真是太远了，我们将棉鞋当棉鞋，自己说是清醒，其实却是极大的不幸，何为可惜十二文钱，不买一提黄汤，灌得倒醉以入此乐土乎。

信仰与梦，恋爱与死，也都是上好的麻醉。能够相信宗教或主义，能够做梦，乃是不可多得的幸福的性质，不是人人所能获得。恋爱要算是最好了，无论何人都有此可能，而且犹如采补求道，一举两得，尤为可喜。不过此事至难，第一须有对手，不比别的只要一灯一盏即可过瘾，所以即使不说是奢侈，至少也总是一种费事的麻醉罢。至于失恋以至反目，事属寻常，正如酒徒呕吐，烟客脾泄，不足为病，所当从头承认者也。末后说到死。死这东西，有些人以为还好，有些人以为很坏，但如当作麻醉品去看时，这似乎倒也不坏。依壁鸠鲁说过，死不足怕，因为死与我辈没有关系，我们在时尚未有死，死来时我们已没有了。快乐派是相信原子说的，这种唯物的说法可以消除死的恐怖，但由我们看来，死又何尝不是一种快乐，麻醉得使我们没有，这样乐趣恐非醇酒妇人所可比拟的罢？所难者是怎样才能如此麻醉，快乐？这个我想是另一问题，不是我们现在所要谈论的了。

醉生梦死，这大约是人生最上的生活法罢？然而也有人不愿意这样。普通外科手术总用全身或局部的麻醉，唯偶有英雄独破此例，如关云长刮骨疗毒，为世人所佩服，固其宜也。盖世间所有唯辱与苦，茹苦忍辱，斯乃得度。画廊派哲人（Stoics）之勇于自杀，自成宗派，若彼得洛纽思（Petroncus）听歌饮酒，切脉以死，虽稍贵族的，故自可喜。达拉思布耳巴（Taras Bulba）长子为敌所获，毒刑致死，临死曰：“父亲，你都看见么?”达拉思匿观众中大呼曰：“儿子，我都看见!”此则哥萨克之勇士，北方之强也。此等人对于人生细细尝味，如啜苦酒，一点都不含胡，其坚苦卓绝盖不可及，但是我们凡人也就无从追踪了。话又说了回来，我们的生活恐怕还是醉生梦死最好罢。——所苦者我只会喝几口酒，而又不能麻醉，还是清醒地都看见听见，又无力高声大喊，此乃是凡人之悲哀，实为无可如何者耳。

（十八年十一月三十日）

□草木虫鱼

草木虫鱼小引

明李日华著《紫桃轩杂缀》卷一云，白石生辟谷嘿坐，人问之不答，固问之，乃云“世间无一可食，亦无一可言”。这是仙人的话，在我们凡人看来不免有点过激，但大概却是不错的，尤其是关于那第二点。在写文章的时候，我常感到两种困难，其一是说什么，其二是怎么说。据胡适之先生的意思这似乎容易解决，因为只要“要说什么就说什么”和“话怎么说就怎么说”便好了，可是在我这就是大难事。有些事情固然我本不要说，然而也有些是想说的，而现在实在无从说起。不必说到政治大事上去，即使偶然谈谈儿童或妇女身上的事情，也难保不被看出反动的痕迹，其次是落伍的证据来，得到古人所谓笔祸。这个内容问题已经够烦难了，而表现问题也并不比它更为简易。我平常很怀疑心里的“情”是否可以用了“言”全表了出来，更不相信随随便便地就表得出来。什么嗟叹啦，永歌啦，手舞足蹈啦的把戏，多少可以发表自己的情意，但是到了成为艺术再给人家去看的时候，恐怕就要发生了好些的变动与间隔，所留存的也就是很微末了。死生之悲哀，爱恋之喜悦，人生最深切的悲欢甘苦，绝对地不能以言语形容，更无论文字，至少在我是这样感想。世间或有天才自然也可以有例外，那么我们凡人所可以文字表现者只是某一种情意，固然不很粗浅但也不很深切的部分，换句话来说，实在是可有可无不关紧急的东西，表现出来聊以自宽慰消遣罢了。从前在上海某月刊上见过一条消息，说某人要提倡文学无用论了，后来不曾留心不知道这主张发表了没有，有无什么影响，但是我个人却的确是相信文学无用论的。我觉得文学好像是一个香炉，他的两旁边还有一对蜡烛台，左派和右派。无论哪一边是左是右，都没有什么关系，这总之有两位，即是禅宗与密宗，假如容我借用佛教的两个名称。文学无用，而这左右两位是有用有能力的。禅宗的作法的人不立文字，知道它的无用，却寻别的途径。辟历似的大喝一声，或一棍打去，或一句干矢橛，直截地使人家豁然开悟，这在对方固然也需要相当的感受性，不能轻易发生效力，但这办法的精义实在是极对的，差不多可以说是最高理想的艺术。不过在事实上艺术还着实有志未逮，或者只是音乐有点这样的意味，缠缚在文字语言里的文学虽然拿出什么象征等物事来在那里挣扎[①]，也总还追随不上。密宗派的人单是结印念咒，揭谛揭谛波罗揭谛几句话，看去毫无意义，实在含有极大力量，老太婆高唱阿弥陀佛，便可安心立命，觉得西方有分，绅士平日对于厨子呼来喝去，有朝一日自己做了光禄寺小官，却是顾盼自雄，原来都是这一类的事。即如古今来多少杀人如麻的钦案，问其罪名，只是大不敬或大逆不道等几个字儿，全是空空洞洞的，当年却有许多活人死人因此处了各种极刑，想起来很是冤枉，不过在当时，大约除本人外没有不以为都是应该的罢。名号——文字的威力大到如此，实在是可敬而且可畏了。文学呢，它是既不能令又不受命，它不能那么解脱，用了独一无二的表现法直截地发出来，却也不会这么刚勇，凭空抓了一个唵字塞住了人家的喉管，再回不过气来，结果是东说西说，写成了四万八千卷的书册，只供闲人的翻阅罢了。我对于文学如此不敬，曾称之曰不革命，今又说它无用，真是太不应当了。不过我的批评全是好意的，我想文学的要素是诚与达，然而诚有障害，达不容易，那么留下来的，试问还有些什么？老实说，禅的文学做不出，咒的文学不想做，普通的文学克复不下文字的纠缠的可做可不做，总结起来与“无一可言”这句话岂不很有同意么？话虽如此，文章还是可以写，想写，关键只在这一点，即知道了世间无一可言，自己更无做出真文学来之可能，随后随便找来一个题目，认真去写一篇文章，却也未始不可，到那时候或者简直说世间无一不可言，也很可以罢，只怕此事亦大难，还须得试试来看，不是一步就走得到的。我在此刻还觉得有许多事不想说，或是不好说，只可挑选一下再说，现在便姑且择定了草木虫鱼，为什么呢？第一，这是我所喜欢，第二，他们也是生物，与我们很有关系，但又到底是异类，由得我们说话。万一讲草木虫鱼还有不行的时候，那么这也不是没有办法，我们可以讲讲天气罢。

（十九年旧中秋）

【锺校】

①“扎”原作“札”。

金鱼

草木虫鱼之一

我觉得天下文章共有两种，一种是有题目的，一种是没有题目的。普通做文章大都先有意思，却没有一定的题目，等到意思写出了之后，再把全篇总结一下，将题目补上。这种文章里边似乎容易出些佳作，因为能够比较自由地发表，虽然后写题目是一件难事，有时竟比写本文还要难些。但也有时候，思想散乱不能集中，不知道写什么好，那么先定下一个题目，再做文章，也未始没有好处，不过这有点近于赋得，很有做出试帖诗来的危险罢了。偶然读英国密伦（A. A. Milne）的小品文集，有一处曾这样说，有时排字房来催稿，实在想不出什么东西来写，只好听天由命，翻开字典，随手抓到的就是题目。有一回抓到金鱼，结果果然有一篇《金鱼》收在集里。我想这倒是很有意思的事，也就来一下子，写一篇《金鱼》试试看，反正我也没有什么非说不可的大道理，要尽先发表，那么来做赋得的咏物诗也是无妨，虽然并没有排字房催稿的事情。

说到金鱼，我其实是很不喜欢金鱼的，在豢养的小动物里边，我所不喜欢的，依着不喜欢的程度，其名次是叭儿狗，金鱼，鹦鹉。鹦鹉身上穿着大红大绿，满口怪声，很有野蛮气。叭儿狗的身体固然太小，还比不上一只猫（小学教科书上却还在说，猫比狗小，狗比猫大！），而鼻子尤其耸得难过。我平常不大喜欢耸鼻子的人，虽然那是人为的，暂时的，把鼻子耸动，并没有永久的将它缩作一堆。人的脸上固然不可没有表情，但我想只要淡淡地表示就好，譬如微微一笑，或者在眼光中露出一种感情，——自然，恋爱与死等可以算是例外，无妨有较强烈的表示，但也似乎不必那样掀起鼻子，露出牙齿，仿佛是要咬人的样子。这种嘴脸只好放到影戏里去，反正与我没有关系，因为二十年来我不曾看电影。然而金鱼恰好兼有叭儿狗与鹦鹉二者的特点，他只是不用长绳子牵了在贵夫人的裙边跑，所以减等发落，不然这第一名恐怕准定是它了。

我每见金鱼一团肥红的身体，突出两只眼睛，转动不灵地在水中游泳，总会联想到中国的新嫁娘，身穿红布袄裤，扎着裤腿，拐着一对小脚伶俜地走路。

我知道自己有一种毛病，最怕看真的，或是类似的小脚。十年前曾写过一篇小文曰《天足》，起头第一句云：“我最喜欢看见女人的天足”，曾蒙友人某君所赏识，因为他也是反对“务必脚小”的人。我倒并不是怕做野蛮，现在的世界正如美国洛威教授的一本书名，谁都有“我们是文明么”的疑问，何况我们这道统国，剐呀割呀都是常事，无论个人怎么努力，这个野蛮的头衔休想去掉，实在凡是稍有自知之明，不是夸大狂的人，恐怕也就不大有想去掉的这种野心与妄想。小脚女人所引起的另一种感想乃是残废，这是极不愉快的事，正如驼背或脖子上挂着一个大瘤，假如这是天然的，我们不能说是嫌恶，但总之至少不喜欢看总是确实的了。有谁会赏鉴驼背或大瘤呢？金鱼突出眼睛，便是这一类的现象。另外有叫做绯鲤的，大约是它的表兄弟罢，一样的穿着大红棉袄，只是不开衩，眼睛也是平平地装在脑袋瓜儿里边，并不比平常的鱼更为鼓出，因此可见金鱼的眼睛是一种残疾，无论碰在水草上时容易戳瞎乌珠，就是平常也一定近视的了不得，要吃馒头末屑也不大方便罢。照中国人喜欢小脚的常例推去，金鱼之爱可以说宜乎众矣，但在不佞实在是两者都不敢爱，我所爱的还只是平常的鱼而已。

想像有一个大池，——池非不大可，须有活水，池底有种种水草才行，如从前碧云寺的那个石池，虽然老实说起来，人造的死海似的水洼都没有多大意思，就是三海也是俗气寒伧气，无论这是哪一个大皇帝所造，因为皇帝压根儿就非俗恶粗暴不可，假如他有点儿懂得风趣，那就得亡国完事，至于那些俗恶的朋友也会亡国，那是另一回事。如今话又说回来，一个大池，里边如养着鱼，那最好是天空或水的颜色的，如鲫鱼，其次是鲤鱼。我这样的分等级，好像是以肉的味道为标准，其实不然。我想水里游泳着的鱼应当是暗黑色的才好，身体又不可太大，人家从水上看下去，窥探好久，才看见隐隐的一条在那里，有时或者简直就在你的鼻子前面，等一忽儿却又不见了，这比一件红冬冬的东西渐渐地近摆来，好像望那西湖里的广告船（据说是点着红灯笼，打着鼓），随后又渐渐地远开去，更为有趣得多。鲫鱼便具备这种资格，鲤鱼未免个儿太大一点，但他是要跳龙门去的，这又难怪他。此外有些白鲦，细长银白的身体，游来游去，仿佛是东南海边的泥鳅龙船，有时候不知为什么事出了惊，拨剌地翻身即逝，银光照眼，也能增加水界的活气。在这样地方，无论是金鱼，就是平眼的绯鲤，也是不适宜的。红袄裤的新嫁娘，如其脚是小的，那只好就请她在炕上爬或坐着，即使不然，也还是坐在房中，在油漆气芸香或花露水气中，比较地可以得到一种调和。所以金鱼的去处还是富贵人家的绣房，浸在五彩的磁缸中，或是玻璃的圆球里，去和叭儿狗与鹦鹉做伴侣罢了。

几个月没有写文章，天下的形势似乎已经大变了，有志要做新文学的人，非多讲某一套话不容易出色。我本来不是文人，这些时式的变迁，好歹于我无干，但以旁观者的地位看去，我倒是觉得可以赞成的。为什么呢？文学上永久有两种潮流，言志与载道。二者之中，则载道易而言志难。我写这篇赋得金鱼，原是有题目的文章，与帖括有点相近，盖已少言志而多载道欤。我虽未敢自附于新文学之末，但自己觉得颇有时新的意味，故附记于此，以志作风之转变云耳。

（十九年三月十日）

虱子

草木虫鱼之二

偶读罗素所著的《结婚与道德》，第五章讲中古时代思想的地方，有这一节话：

> 那时教会攻击洗浴的习惯，以为凡使肉体清洁可爱好者皆有发生罪恶之倾向。肮脏不洁是被赞美，于是圣贤的气味变成更为强烈了。圣保拉说，身体与衣服的洁净，就是灵魂的不净。虱子被称为神的明珠，爬满这些东西是一个圣人的必不可少的记号。

我记起我们东方文明的选手故辜鸿铭先生来了，他曾经礼赞过不洁，说过相仿的话，虽然我不能知道他有没有把虱子包括在内，或者特别提出来过。但是，即是辜先生不曾有什么颂词，虱子在中国文化历史上的位置也并不低，不过这似乎只是名流的装饰，关于古圣先贤还没有文献上的证明罢了。晋朝的王猛的名誉，一半固然在于他的经济的事业，他的捉虱子这一件事恐怕至少也要居其一半。到了二十世纪[1]之初，梁任公先生在横滨办《新民丛报》，那时有一位重要的撰述员，名叫扪虱谈虎客，可见这个还很时髦，无论他身上是否真有那晋朝的小动物。

洛威（R. H. Lowie）博士是旧金山大学的人类学教授，近著一本很有意思的通俗书《我们是文明么》，其中有好些可以供我们参考的地方。第十章讲衣服与时装，他说起十八世纪时妇人梳了很高的髻，有些矮的女子，她的下巴颏儿正在头顶到脚尖的中间。在下文又说道：

> 宫里的女官坐车时只可跪在台板上，把头伸在窗外，她们跳着舞，总怕头碰了挂灯。重重扑粉厚厚衬垫的三角塔终于满生了虱子，很是不舒服，但西欧的时风并不就废止这种时装。结果发明了一种象牙钩钗，拿来搔痒，算是很漂亮的。

第二十一章讲卫生与医药，又说到“十八世纪的太太们的头上成群的养着虱子”。又举例说明道：

> 一三九三年，一个法国著者教给他美丽的读者六个方法，治她们的丈夫的跳蚤，一五三九年出版的一本书列有奇效方，可以除灭跳蚤，虱子，虱卵，以及臭虫。

照这样看来，不但证明“西洋也有臭虫”，更可见贵夫人的青丝上也满生过虱子。在中国，这自然更要普遍了，褚人获编《坚瓠集》丙集卷三有一篇《须虱颂》，其文曰：

王介甫王禹玉同侍朝，见虱自介甫襦领直缘其须，上顾而笑，介甫不知也。朝退，介甫问上笑之故，禹玉指以告，介甫命从者去之。禹玉曰，未可轻去，愿颂一言。介甫曰，何如？禹玉曰，屡游相须，曾经御览，未可杀也，或曰放焉。众大笑。

我们的荆公是不修边幅的，有一个半个小虫在胡须上爬，原算不得是什么奇事，但这却令我想起别一件轶事来，据说徽宗在五国城，写信给旧臣道："朕身上生虫，形如琵琶。"照常人的推想，皇帝不认识虱子，似乎在情理之中，而且这样传说，幽默与悲感混在一起，也颇有意思，但是参照上文，似乎有点不大妥帖了。宋神宗见了虱子是认得的，到了徽宗反而退步，如果属实，可谓不克绳其祖武了。《坚瓠集》中又有一条《恒言》，内分两节如下：

张磊塘善清言，一日赴徐文贞公席，食鲳鱼鳇鱼。庖人误不置醋。张云，仓皇失措。文贞腰扪一虱，以齿毙之，血溅齿上。张云，大率类此。文贞亦解颐。

×

清客以齿龁虱有声，妓哂之。顷妓亦得虱，以添香置炉中而爆。客顾曰，熟了。妓曰，愈于生吃。

这一条笔记是很重要的虱之文献，因为他在说明贵人清客妓女都有扪虱的韵致外，还告诉我们龁虱的方法。《我们是文明么》第二十一章中说：

正如老鼠离开将沉的船，虱子也会离开将死的人，依照冰地的学说。所以一个没有虱子的爱斯吉摩人是很不安的。这是多么愉快而且适意的事，两个好友互捉头上的虱以为消遣，而且随复庄重地将它们送到所有者的嘴里去。在野蛮世界，这种交互的服务实在是很有趣的游戏。黑龙江边的民族不知道有别的更好的方法，可以表示夫妇的爱情与朋友的交谊。在亚尔泰山及南西伯利亚的突厥人也同样的爱好这个玩艺儿。他们的皮衣里满生着虱子，那妙手的土人便永远在那里搜查这些生物，捉到了的时候，咂一咂嘴儿把它们都吃下去。拉得洛夫博士亲自计算过，他的向[2]导在一分钟内捉到八九十匹。在原始民间故事里多讲到这个普遍而且有益的习俗，原是无怪的。

由此可见普通一般毙虱法都是同徐文贞公一样，就是所谓“生吃”的，只可惜“有礼节的欧洲人是否吞咽他们的寄生物查不出证据”，但是我想这总也可以假定是如此罢，因为世上恐怕不会有比这个更好的方法，不过史有阙文，洛威博士不敢轻易断定罢了。

但世间万事都有例外，这里自然也不能免。佛教反对杀生，杀人是四重罪之一，犯者波罗夷不共住，就是杀畜生也犯波逸提罪，他们还注意到水中土中几乎看不出的小虫，那么对于虱子自然也不肯忽略过去。《四分律》卷五十《房舍犍度法》中云：

> 于多人住处拾虱弃地，佛言不应尔。彼上座老病比丘数数起弃虱，疲极，佛言听以器，若毳，若劫贝，若敝物，若绵，拾着中。若虱走出，应作筒盛。彼用宝作筒，佛言不应用宝作筒，听用角牙，若骨，若铁，若铜，若铅锡，若竿蔗草，若竹，若苇，若木，作筒，虱若出，应作盖塞。彼宝作塞，佛言不应用宝作塞，应用牙骨乃至木作，无安处，应以缕系着床脚里。

小林一茶（一七六三——一八二七）是日本近代的诗人，又是佛教徒，对于动物同圣芳济一样，几乎有兄弟之爱，他的咏虱的诗句据我所见就有好几首③，其中有这样的一首，曾译录在《雨天的书》中，其词曰：

捉到一个虱子，将他掐死固然可怜，要把它舍在门外，让它绝食，也觉得不忍，忽然想到我佛从前给与鬼子母的东西，成此：

“虱子呵，放在和我味道一样的石榴上爬着。”④

这样的待遇在一茶可谓仁至义尽，但虱子恐怕有点觉得不合式，因为像和尚那么吃净素他是不见得很喜欢的。但是，在许多虱的本事之中，这些算是最有风趣了。佛教虽然也重圣贫，一面也还讲究，——这称作清洁未必妥当，或者总叫作“威仪”罢，因此有些法则很是细密有趣，关于虱的处分即其一例，至于一茶则更是浪漫化了一点罢了。中国扪虱的名士无论如何不能到这个境界，也决做不出像一茶那样的许多诗句来，例如——

喊，虱子呵，爬罢爬罢，向着春天的去向。

实在译不好，就此打住罢。今天是清明节，野哭之声犹在于耳，回家写这小文，聊以消遣，觉得这倒是颇有意义的事。

（民国十九年四月五日，于北平）

［附记］友人指示，周密《齐东野语》中有材料可取，于卷十七查得《嚼虱》一则，今补录于下：

余负日茅檐，分渔樵半席，时见山翁野媪扪身得虱，则致之口中，若将甘心焉，意甚恶之。然揆之于古，亦有说焉。应侯谓秦王曰，得宛临，流阳夏，断河内，临东阳，邯郸犹口中虱。王莽校尉韩威曰，以新室之威而吞胡虏，无异口中蚤虱。陈思王著论亦曰，得虱者莫不劘之齿牙，为害身也。三人皆当时贵人，其言乃尔，则野老嚼虱亦自有典故，可发一笑。

我尝[⑤]推究嚼虱的原因，觉得并不由于“若将甘心”的意思，其实只因虱子肥白可口，臭虫固然气味不佳，蚤又太小一点了，而且放在嘴里跳来跳去，似乎不大容易咬着。今见韩校尉的话，仿佛基督同时的中国人曾两者兼嚼，到得后来才人心不古，取大而舍小，不过我想这个证据未必怎么可靠，恐怕这单是文字上的支配，那么跳蚤原来也是一时的陪绑罢了。

（四月十三日又记）

【锺校】

①原无“纪”字，今增。

②“向”原作“响”。

③“首”原作“句”。

⑤“尝”原作“当”。

【原注】

④日本传说，佛降伏鬼子母，给与石榴实食之，以代人肉，因榴实味酸甜似人肉云。据《鬼子母经》说，她后来变为生育之神，这石榴大约只是多子的象征罢了。

两株树[①]

草木虫鱼之三

我对于植物比动物还要喜欢，原因是因为我懒，不高兴为了区区视听之娱一日三餐地去饲养照顾，而且我也有点相信“鸟身自为主”的迂论，觉得把他们活物拿来做囚徒当奚奴，不是什么愉快的事，若是草木便没有这些麻烦，让它们直站在那里便好，不但并不感到不自由，并且还真是生了根地不肯再动一动哩。但是要看树木花草也不必一定种在自己的家里，关起门来独赏，让它们在野外路旁，或是在人家粉墙之内也并不妨，只要我偶然经过时能够看见两三眼，也就觉得欣然，很是满足的了。

树木里边我所喜欢的第一种是白杨。小时候读《古诗十九首》，读过“白杨何萧萧，松柏夹广路”之句，但在南方终未见过白杨，后来在北京才初次看见。谢在杭著《五杂组》中云：

古人墓树多植梧楸，南人多种松柏，北人多

种白杨。白杨即青杨也，其树皮白如梧桐，叶似冬青，微风击之辄淅沥有声，故古诗云，白杨多悲风，萧萧愁杀人。予一日宿邹县驿馆中，甫就枕即闻雨声，竟夕不绝，侍儿曰，雨矣。予讶之曰，岂有竟夜雨而无檐溜者？质明视之，乃青杨树也。南方绝无此树。

《本草纲目》卷三五下引陈藏器曰：“白杨北土极多，人种墟墓间，树大皮白，其无风自动者乃杨栘，非白杨也。”又寇宗奭云：“风才至，叶如大雨声，谓无风自动则无此事，但风微时其叶孤极处则往往独摇，以其蒂长叶重大，势使然也。”王象晋《群芳谱》则云杨有二种，一白杨，一青杨，白杨蒂长两两相对，遇风则簌簌有声，人多植之坟墓间，由此可知白杨与青杨本自有别，但“无风自动”一节却是相同。在史书中关于白杨有这样的两件故事：

《南史》萧惠开传：“惠开为少府，不得志，寺内斋前花草甚美，悉铲除，别植白杨。”

《唐书》契苾何力传：“龙翔中司稼少卿梁修仁新作大明宫，植白杨于庭，示何力曰，此木易成，不数年可芘。何力不答，但诵白杨多悲风，萧萧愁杀人之句，修仁惊悟，更植以桐。”

这样看来，似乎大家对于白杨都没有什样好感。

为什么呢？这个理由我不大说得清楚，或者因为它老是簌簌的动的缘故罢。听说苏格兰地方有一种传说，耶稣受难时所用的十字架是用白杨木做的，所以白杨自此以后就永远在发抖，大约是知道自己的罪孽深重。但是做钉的铁却似乎不曾因此有什么罪，黑铁这件东西在法术上还总有点位置的，不知何以这样地有幸有不幸。（但吾乡结婚时忌见铁，凡门窗上铰链等悉用红纸糊盖，又似别有缘故。）我承认白杨种在墟墓间的确很好看，然而种在斋前又何尝不好，它那瑟瑟的响声第一有意思。我在前面的院子里种了一棵，每逢夏秋有客来斋夜话的时候，忽闻淅[②]沥声，多疑是雨下，推户出视，这是别种树所没有的佳处。梁少卿怕白杨的萧萧改种梧桐，其实梧桐也何尝一定吉祥，假如要讲迷信的话，吾乡有一句俗谚云，“梧桐大如斗，主人搬家走”，所以就是别庄花园里也很少种梧桐的，这实在是一件很可惜的事，梧桐的枝干和叶子真好看，且不提那一叶落知天下秋的兴趣了。在我们的后院里却有一棵，不知已经有若干年了，我至今看了它十多年，树干还远不到五合的粗，看它大有黄杨木的神气，虽不厄闰也总长得十分缓慢呢。——因此我想到避忌梧桐大约只是南方的事，在北方或者并没有这句俗谚，在这里梧桐想要如斗大恐怕不是容易的事罢。

第二种树乃是乌桕，这正与白杨相反，似乎只生长于东南，北方很少见。陆龟蒙诗云，“行歇每依鸦舅影”，陆游诗云，“乌桕赤于枫，园林二月中”，又云，“乌桕新添落叶红”，都是江浙乡村的景象。《齐民要术》卷十列“五谷果蓏菜茹非中国物产者”，下注云“聊以存其名目，记其怪异耳，爰及山泽草木任食非人力所种者，悉附于此”，其中有乌臼一项，引《玄中记》云，荆阳有乌臼，其实如鸡头，迮之如胡麻子，其汁味如猪脂。《群芳谱》言，“江浙之人，凡高山大道溪边宅畔无不种”，此外则江西安徽盖亦多有之。关于它的名字，李时珍说：“乌喜食其子，因以名之。……或曰，其木老则根下黑烂成臼，故得此名。”我想这或曰恐太迂曲，此树又名鸦舅，或者与乌不无关系，乡间冬天卖野味有桕子舄（读如呆鸟字），是道墟地方名物，此物殆是乌类乎，但是其味颇佳，平常所谓舄肉几乎便指此舄也。

桕树的特色第一在叶，第二在实。放翁生长稽山镜水间，所以诗中常常说及桕叶，便是那唐朝的张继寒山寺诗所云江枫渔火对愁眠，也是在说这种红叶。王端履著《重论文斋笔录》卷九论及此诗，注云：“江南临水多植乌桕，秋叶饱霜，鲜红可爱，诗人类指为枫，不知枫生山中，性最恶湿，不能种之江畔也。此诗江枫二字亦未免误认耳。”范寅在《越谚》卷中桕树项下说：“十月叶丹，即枫，其子可榨油，农皆植田边。”就把两者误合为一。罗逸长《青山记》云：“山之麓朱村，盖考亭之祖居也，自此倚石啸歌，松风上下，遥望木叶着霜如渥丹，始见怪以为红花，久之知为乌桕树也。”《蓬窗续录》云：“陆子渊《豫章录》言，饶信间桕树冬初叶落，结子放蜡，每颗作十字裂，一丛有数颗，望之若梅花初绽，枝柯诘曲，多在野水乱石间，远近成林，真可作画。此与柿树俱称美荫，园圃植之最宜。”这两节很能写出桕树之美，它的特色仿佛可以说是中国画的，不过此种景色自从我离了水乡的故国已经有三十年不曾看见了。

柏树子有极大的用处，可以榨油制烛，《越谚》卷中蜡烛条下注曰：“卷芯草干，熬桕油拖蘸成烛，加蜡为皮，盖紫草汁则红。”汪曰桢著《湖雅》卷八中说得更是详细：

> 中置烛心，外裹乌桕子油，又以紫草染蜡盖之，曰桕油烛。用棉花子油者曰青油烛，用牛羊油者曰荤油烛。湖俗祀神祭先必燃两炬，皆用红桕烛。婚嫁用之曰喜烛，缀蜡花者曰花烛，祝寿

所用曰寿烛，丧家则用绿烛或白烛，亦柏烛也。

日本寺岛安良编《和汉三才图会》五八引《本草纲目》语云，“烛有蜜蜡烛虫蜡烛牛脂烛柏油烛”，后加案语曰：

案唐式云少府监每年供蜡烛七十挺，则元以前既有之矣。有数品，而多用木蜡牛脂蜡也。有油桐子蚕豆苍耳子等为蜡者，火易灭。有鲸鲵油为蜡者，其焰甚臭，牛脂蜡亦臭。近年制精，去其臭气，故多以牛蜡伪为木蜡，神佛灯明不可不辨。

但是近年来蜡烛恐怕已是倒了运，有洋人替我们造了电灯，其次也有洋蜡洋油，除了拿到妙峰山上去之外大约没有它的什么用处了。就是要用蜡烛，反正牛羊脂也凑合可以用得，神佛未必会得见怪，——日本真宗的和尚不是都要娶妻吃肉了么？那么柏油并不再需要，田边水畔的红叶白实不久也将绝迹了罢。这于国民生活上本来没有什么关系，不过在我想起来的时候总还有点怀念，小时候喜读《南方[3]草木状》《岭表录异》和《北户录》等书，这种脾气至今还是存留着，秋天买了一部大板的《本草纲目》，很为我的朋友所笑，其实也只是为了这个缘故罢了。

（十九年十二月二十五日，于北平煅药庐）

【锺校】

①题目似应为“两种树”。

②“淅”原作“浙”。

③“方”原作“木”。

苋菜梗

草木虫鱼之四

近日从乡人处分得腌苋菜梗来吃，对于苋菜仿佛有一种旧雨之感。苋菜在南方是平民生活上几乎没有一天缺的东西，北方却似乎少有，虽然在北平近来也可以吃到嫩苋菜了。查《齐民要术》中便没有讲到，只在卷十列有人苋一条，引《尔雅》郭注，但这一卷所讲都是“五谷果蓏菜茹非中国物产者”，而《南史》中则常有此物出现，如《王智深传》云，“智深家贫无人事，尝饿五日不得食，掘苋根食之”，又《蔡樽附传》云，“樽在吴兴不饮郡斋井，斋前自种白苋紫茄以为常饵，诏褒其清”，都是很好的例。

苋菜据《本草纲目》说共有五种，马齿苋在外。苏颂曰：

> 人苋白苋俱大寒，其实一也，但大者为白苋，小者为人苋耳，其子霜后方熟，细而色黑。紫苋叶通紫，吴人用染爪者，诸苋中唯此无毒不

寒。赤苋亦谓之花苋，茎叶深赤，根茎亦可糟藏，食之甚美味辛。五色苋今亦稀有，细苋俗谓之野苋，猪好食之，又名猪苋。

李时珍曰："苋并三月撒种，六月以后不堪食，老则抽茎如人长，开细花成穗，穗中细子扁而光黑，与青箱子鸡冠子无别，九月收之。"《尔雅》释草，"蒉赤苋"，郭注云，"今之苋赤茎者"，郝懿行疏乃云："今验赤苋茎叶纯紫，浓如燕支，根浅赤色，人家或种以饰园庭，不堪啖也。"照我们经验来说，嫩的紫苋固然可以瀹食，但是"糟藏"的却都用白苋，这原只是一乡的习俗，不过别处的我不知道，所以不能拿来比较了。

说到苋菜同时就不能不想到甲鱼。《学圃馀疏》云："苋有红白二种，素食者便之，肉食者忌与鳖共食。"《本草纲目》引张鼎曰："不可与鳖同食，生鳖瘕，又取鳖肉如豆大，以苋菜封裹置土坑内，以土盖之，一宿尽变成小鳖也。"其下接联地引汪机曰："此说屡试不验。"《群芳谱》采张氏的话稍加删改，而末云"即变小鳖"之后却接写一句"试之屡验"，与原文比较来看未免有点滑稽。这种神异的物类感应，读了的人大抵觉得很是好奇，除了雀入大水为蛤之类无可着手外，总想怎么来试他一试，苋菜鳖肉反正都是易得的材料，一经实验便自分出真假，虽然也有越试越胡涂的，如《酉阳杂俎》所记："蝉未脱时名复育，秀才韦翾庄在杜曲，常冬中掘树根，见复育附于朽处，怪之，村人言蝉固朽木所化也，翾因剖一视之，腹中犹实烂木。"这正如剖鸡胃中皆米粒，遂说鸡是白米所化也。苋菜与甲鱼同吃，在三十年前曾和一位族叔试过，现在族叔已将七十了，听说还健在，我也不曾肚痛，那么鳖瘕之说或者也可以归入不验之列了罢。

苋菜梗的制法须俟其"抽茎如人长"，肌肉充实的时候，去叶取梗，切作寸许长短，用盐腌藏瓦坛中，候发酵即成，生熟皆可食。平民几乎家家皆制，每食必备，与干菜腌菜及螺蛳霉豆腐千张等为日用的副食物，苋菜梗卤中又可浸豆腐干，卤可蒸豆腐，味与"溜豆腐"相似，稍带枯涩，别有一种山野之趣。读外乡人游越的文章，大抵众口一词地讥笑土人之臭食，其实这是不足怪的，绍兴中等以下的人家大都能安贫贱，敝衣恶食，终岁勤劳，其所食者除米而外唯菜与盐，盖亦自然之势耳。干腌者有干菜，湿腌者以腌菜及苋菜梗为大宗，一年间的"下饭"差不多都在这里。诗云，"我有旨蓄，可以御冬"，是之谓也，至于存置日久，干腌者别无问题，湿腌则难免气味变化，顾气味有变而亦别具风味，此亦是事实，原无须引西洋干酪为例者也。

《邵氏闻见录》云，汪信民常言，人常咬得菜根则百事可做，胡康侯闻之击节叹赏。俗语亦云，布衣暖，菜根香，读书滋味长。明洪应明遂作《菜根谭》以骈语述格言，《醉古堂剑扫》与《娑罗馆清言》亦均如此，可见此体之流行一时了。咬得菜根，吾乡的平民足以当之，所谓菜根者当然包括白菜芥菜头，萝卜芋艿之类，而苋菜梗亦附其下，至于苋根虽然救了王智深的一命，实在却无可吃，因为这[1]只是梗的末端罢了，或者这里就是梗的别称也未可知。咬了菜根是否百事可做，我不能确说，但是我觉得这是颇有意义的，第一可以食贫，第二可以习苦，而实在却也有清淡的滋味，并没有蕺这样难吃，胆这样难尝。这个年头儿人们似乎应该学得略略吃得起苦才好。中国的青年有些太娇养了，大抵连冷东西都不会吃，水果冰激淋除外，我真替他们忧虑，将来如何上得前敌，至于那粉泽不去手，和穿红里子的夹袍的更不必说了。其实我也并不激烈地想禁止跳舞或抽白面，我知道在乱世的生活法中耽溺亦是其一，不满于现世社会制度而无从反抗，往往沉浸于醇酒妇人以解忧闷，与山中饿夫殊途而同归，后之人略迹原心，也不敢加以菲薄，不过这也只是近于豪杰之徒才可以，决不是我们凡人所得以援引的而已。——喔，似乎离本题太远了，还是就此打住，有话改天换了题目再谈罢。

（二十年十月二十六日，于北平）

【锺校】

①“这”原作“在”。

水里的东西

草木虫鱼之五

我是在水乡生长的，所以对于水未免有点情分。学者们说，人类曾经做过水族，小儿喜欢弄水，便是这个缘故。我的原因大约没有这样远，恐怕这只是一种习惯罢了。

水，有什么可爱呢？这件事是说来话长，而且我也有点儿说不上来。我现在所想说的单是水里的东西。水里有鱼虾，螺蚌，茭白，菱角，都是值得记忆的，只是没有这些工夫来一一纪录下来，经了好几天的考虑，决心将动植物暂且除外。——那么，是不是想来谈水底里的矿物类么？不，决不。我所想说的，连我自己也不明白它是哪一类，也不知道它究竟是死的还是活的，它是这么一种奇怪的东西。

我们乡间称它作 Ghosychiü，写出字来就是"河水鬼"。它是溺死的人的鬼魂。既然是五伤之一，——五伤大约是水、火、刀、绳、毒罢，但我记得又有虎伤似乎在内，有点弄不清楚了，总之水死是其一，这是无可疑的，所以它照例[①]应“讨替代”。听说吊死鬼时常骗人从圆窗伸出头去，看外面的美景（还是美人?），倘若这人该死，头一伸时可就上了当，再也缩不回来了。河水鬼的法门也就差不多是这一类，它每幻化为种种物件，浮在岸边，人如伸手想去捞取，便会被拉下去，虽然看来似乎是他自己钻下去的。假如吊死鬼是以色迷，那么河水鬼可以说是以利诱了。它平常喜欢变什么东西，我没有打听清楚，我所记得的只是说变“花棒槌”，这是一种玩具，我在儿时听见所以特别留意，至于所以变这玩具的用意，或者是专以引诱小儿亦未可知。但有时候它也用武力，往往有乡人游泳，忽然沉了下去，这些人都是像虾蟆一样地“识水”的，论理决不会失足，所以这显然是河水鬼的勾当，只有外道才相信是由于什么脚筋拘挛或心脏麻痹之故。

照例，死于非命的应该超度，大约总是念经拜忏之类，最好自然是“翻九楼”，不过翻的人如不高妙，从七七四十九张桌子上跌了下来的时候，那便别样的死于非命，又非另行超度不可了。翻九楼或拜忏之后，鬼魂理应已经得度，不必再讨替代了，但为防万一危险计，在出事地点再立一石幢，上面刻南无阿弥陀佛六字，或者也有刻别的文句的罢，我却记不起来了。在乡下走路，突然遇见这样的石幢，不是一件很愉快的事，特别是在傍晚，独自走到渡头，正要下四方的渡船亲自拉船索渡过去的时候。

话虽如此，此时也只是毛骨略略有点耸然，对于河水鬼却压根儿没有什么怕，而且还简直有点儿可以说是亲近之感。水乡的住民对于别的死或者一样地怕，但是淹死似乎是例外，实在怕也怕不得许多，俗语云，瓦罐不离井上破，将军难免阵前亡，如住水乡而怕水，那么只好搬到山上去，虽然那里又有别的东西等着，老虎，马熊。我在大风暴中渡过几回大树港，坐在二尺宽的小船内在白鹅似的浪上乱滚，转眼就可以沉到底去，可是像烈士那样从容地坐着，实在觉得比大元帅时代在北京还要不感到恐怖。还有一层，河水鬼的样子也很有点爱娇。普通的鬼保存它死时的形状，譬如虎伤鬼之一定大声喊阿唷，被杀者之必用一只手提了它自己的六斤四两的头之类，唯独河水鬼则不然，无论老的小的村的俊的，一掉到水里去就都变成一个样子，据说是身体矮小，很像是一个小孩子，平常三五成群，在岸上柳树下“顿铜钱”，正如街头的野孩子一样，一被惊动便跳下水去，有如一群青蛙，只有这个不同，青蛙跳时“不东”的有水响，有波纹，它们没有。为什么老年的河水鬼也喜欢摊钱之戏呢？这个，乡下懂事的老辈没有说明给我听过，我也没有本领自己去找到说明。

我在这里便联想到了在日本的它的同类。在那边称作“河童”，读如 Kappa，说是 Kawawappa 之略，意思即是川童二字，仿佛芥川龙之介有过这样名字的一部小说，中国有人译为“河伯”，似乎不大妥贴。这与河水鬼有一个极大的不同，因为河童是一种生物，近于人鱼或海和尚。它与河水鬼相同要拉人下水，但也喜欢拉马，喜欢和人角力。它的形状大概如猿猴，色青黑，手足如鸭掌，头顶下凹如碟子，碟中有水时其力无敌，水涸则软弱无力，顶际有毛发一圈，状如前刘海，日本儿童有蓄此种发者至今称作河童发云。柳田国男在《山岛民谭集》（1914）中有一篇“河童驹引”的研究，冈田建文的《动物界灵异志》（1927）第三章也是讲河童的，他相信河童是实有的动物，引《幽明录》云，“水蝹一名蝹童，一名水精，裸形人身，长三五尺，大小不一，眼耳鼻舌唇皆具，头上戴一盆，受水三五升，只得水勇猛，失水则无勇力”，以为就是日本的河童。关于这个问题我们无从考证，但想到河水鬼特别不像别的鬼的形状，却一律地状如小儿，仿佛也另有意义，即使与日本河童的迷信没有什么关系，或者也有水中怪物的分子混在里边，未必纯粹是关于鬼的迷信了罢。

十八世纪的人写文章，末后常加上一个尾巴，说明寓意，现在觉得也有这个必要，所以添写几句在这里。人家要怀疑，即使如何有闲，何至于谈到河水鬼去呢？是的，河水鬼大可不谈，但是河水鬼的信仰以及有这信仰的人却是值得注意的。我们平常只会梦想，所见的或是天堂，或是地狱，但总不大愿意来望一望这凡俗的人世，看这上边有些什么人，是怎么想。社会人类学与民俗学是这一角落的明灯，不过在中国自然还不发达，也还不知道将来会不会发达。我愿意使河水鬼来做个先锋，引起大家对于这方面的调查与研究之兴趣。我想恐怕喜欢顿铜钱的小鬼没有这样力量，我自己又不能做研究考证的文章，便写了这样一篇闲话，要想去抛砖引玉实在有点惭愧。但总之关于这方面是“伫候明教”。

（十九年五月）

【鄢校】

①“例”原作“列”。

案山子

草木虫鱼之六

前几天在市场买了一本《新月》，读完罗隆基先生的论文之后，再读《四十自述》，这是《在上海》的下半篇，胡适之先生讲他自己作诗文的经验，觉得很有趣味。其中特别是这一节："我记得我们试译 Thomas Campbell 的 *Soldier's Dream* 一篇诗，中有 scarecrow 一个字，我们大家想了几天，想不出一个典雅的译法。"这个 scarecrow 不知道和我有什么情分，总觉得他是怪好玩的东西，引起我的注意。我查下页胡先生的译诗，第五六两句云，"枕戈藉草亦蘧然，时见刍人影摇曳"，末后附注云："刍人原作刍灵，今年改。"案《礼记·檀弓下》郑氏注云，"刍灵，束茅为人马，谓之灵者，神之类"，可见得不是田家的东西，叫他作刍人，正如叶圣陶先生的"稻草人"，自然要好一点了。但是要找一个的确的译语，却实在不容易。所谓《华英字典》之流不必说了，手头也一册都没有，所以恕不查考，严幾道的《英文汉诂》在一九〇四年出版，是同类中最典雅最有见识的一本书，二十七八年来我这意见还是一致，记得在“制字”篇中曾有译语，拿出来一翻，果然在第一百十节中有这一行云：“Scarecrow，吓鸦，草人用于田间以逐鸟雀者。”这个吓鸦的名称我清清楚楚地记在心里，今天翻了出来，大有旧雨重逢的快乐，这明白地是意译，依照“惊闺”等的例，可以算作一个很好的物名，可是，连他老人家也只能如此对付，更可见我们在刍人草人之外想去找更典雅的译名之全无希望了。

日本语中有案山子这个名称，读作加贺之（Kagashi），即是吓鸦。寺岛安良编《和汉三才图会》卷三十五农具部中有这一条，其文云：

> 《艺文类聚》，古者人民质朴，死则裹以白茅，投之中野，孝子不忍父母为禽兽所食，则作弹以守之，绝鸟兽之害。
>
> 案，弹俗云案山子，今田圃中使草偶持弓，以防鸟雀也。备中国汤川寺玄宾僧都晦迹于民家之奴，入田护稻，以惊鸟雀为务，至今惧鸟雀刍灵称之僧都。

上文所引《艺文类聚》原语多误，今依原书及《吴越春秋》改正。陈音对越王说，弩生于弓，弓生于弹，大约是对的，但是说弹起于[1]古之孝子，我颇有点怀疑，弹应该起于投石，是养生而不是送死的事罢。《说文解字》第八篇云："吊[2]，问终也，从人弓，古之葬者厚衣之以薪，故人持弓会驱禽也。"《急就章》第二十五云："丧吊悲哀面目肿。"颜氏注："吊谓问终者也，于字人持弓为吊，上古葬者衣之以薪，无有棺椁，常苦禽鸟为害，故吊问者持弓会之，以助弹射也。"先有弓矢而后持弓吊丧助驱禽鸟，这比弹说似近于事实，虽然古代生活我们还未能怎么知道。或者再用刍灵代人持弓，设在墓地，后来移用田间，均属可能，不过都是推测渺茫之词，有点无征不信，而且我们谈吓鸦也不必苦苦研求他的谱系，所以就此搁起似乎也没有什么妨碍。

日本语加贺之的语源解释不一，近来却似乎倾向于《俚言集览》之旧说，云起于以串夹烧灼的兽肉，使闻臭气，以惊鸟兽也，故原语的意思可解作"使嗅"。川口孙治郎在所著《飞驒之鸟》中卷论案山子的地方说飞驒南部尚有此俗，田间植竹片，上缠毛发，涂猪油，烧使发臭气，以避野兽。早川孝太郎编《野猪与鹿与狸》中讲三河设乐郡村人驱野猪的方法，其一即是烟熏：

用破布为心，上包稻草，做成长的草苞模

样，一头点火，挂竹竿尖上，插于田边。有极小者，夏天割草的女人挂在腰边，可避蚊虻，野猪闻布片焦臭气味亦不敢近也。

书中并图其形，与草人亦相去不远。二书皆近年新刊，为“乡土研究社丛书”之一，故所说翔实可信，早川氏之文尤可喜。

至于案山子三字全系汉文，日本不过借用，与那使他嗅是毫无关系的。这是怎么来的呢？《飞驒之鸟》中卷云：

《嬉游笑览》云，惊鸟的加贺之，或写作案山子，是盖由于山寺禅僧之戏书罢。但是还不能确定，到了《梅园日记》，才说得稍详，今试引其大要于下：

据《随斋谐话》，惊鸟偶人写作案山子，友人芝山曰，在《传灯录》《普灯录》《历代高僧录》等书中均有面前案山子之语，注曰，民俗刈草作人形，令置山田之上，防禽兽，名曰案山子。又《五灯会元》，五祖师戒禅师章有主山高，案山低，主山高崄崄，案山翠青青等语。案主山高，意为山之主，案山低，意当为上平如几案。低山之间必开田畴事耕种，惊鸟草人亦立于案山之侧，故山僧戏呼为案山子，后遂成为通称欤。

上文征引层次不甚清，又虑有阙误，今姑仍之，只一查《景德传灯录》，在第十七卷洪州云居山道膺禅师条下有这一节：

问孤迥且巍巍时如何，师曰，孤迥且巍巍。僧曰，不会。师言，面前案山子也不会。

注不知是哪里的，我查不出，主山案山到底怎么讲我此刻也还不大明白。但是在第二十七卷找到了拾得大士的一件逸事，虽然没有说案山子，觉得仿佛有点儿关连：

有护伽蓝神庙，每日僧厨下食为乌所食，拾得以杖抶之曰，汝食不能护，安能护伽蓝乎？此夕神附梦于合寺僧曰，拾得打我。

把金刚当作案山子，因为乌鸦吃了僧厨下食，被和尚打得叫苦不迭，这里边如没有什么世间味，也总可以说有些禅味的罢。

中国诗文讲到案山子似乎很少，我是孤陋寡闻，真一句都想不出来，还是在《飞驒之鸟》里见到一首七绝，说是宋人所作，其词曰：

小雨初晴岁事新，一犁江上趁初春，

豆畦种罢无人守，缚得黄茅更似人。

在日本文学里案山子时常出现，他有时来比落拓无能的人物，有时是用他的本色，这在俳句中尤为普通，今举两三句来做例，虽然这种诗是特别不能译的，译了之后便不成样子，看不出他原来的好处来了。

田水落了，细腰高撑的案山子呵。

（芜村）

身的老衰呵，案山子的面前也觉得羞惭。

（一茶）

夕阳的影，出到大路来的案山子呵。

（召波）

每回下雨，老下去的田间案山子呵。

（马琴）

偷来的案山子的笠上雨来得急了。

（虚子）

末了一句是现代的诗，曾经被小泉八云所赏识，说只用了十七个拼音成一句诗，描写流浪书生的穷困，此上想加以修正恐怕是不可能的罢。临了我想一看英国诗人怎样地歌唱我们的案山子，便去找寻胡适之先生所译的那篇“军人梦”的原诗，最初翻阅奥斯福本《英诗选》，里边没有，再看《英诗金库》，居然在第二百六十七首找到了。可是看到第六行却大吃一惊，胡先生译作“时见刍人影摇曳”的，其原文乃是“By the wolf-scaring faggot that guarded the slain”，直译是“在那保护战死者的，吓狼的柴火旁边”，却不见案山子的踪迹。我用两种小丛书本来对比，结果是一样。因为甘倍耳先生的诗句，引起我对于案山子的兴趣，可是说了一通闲话之后回过头来一看，穿蓑笠持弓矢的草人变了一堆火烟，案山子现出使他闻闻的本相来了，这又使我感到了另外一种的趣味。今天写完此文，适之想正在玩西湖罢，等他回北平来时再送给他看看去。

（二十年十月十一日）

【锺校】

①原无“于”字，今增。

②“吊”旧作“弔”，所以下文说“从人弓”。

关于蝙蝠

草木虫鱼之七

苦雨翁：

我老早就想写一篇文章论论这位奇特的黑夜行脚的蝙蝠君。但终于没有写，不，也可以说是写过的，只是不立文字罢了。

昨夜从苦雨斋谈话归来，车过西四牌楼，忽然见到几只蝙蝠沿着电线上面飞来飞去，似乎并不怕人。热闹市口他们这等游逛，说起来我还是第一次看见，岂未免有点儿乡下人进城乎。

“奶奶经”告诉我，蝙蝠是老鼠变的。怎样地一个变法呢？据云，老鼠嘴馋，有一回口渴[1]，错偷了盐吃，于是脱去尾巴，生上翅膀，就成了现在的蝙蝠这般模样。这倒也十分自在，未免更上一层楼，从地上的活动，进而为空中的活动，飘飘乎不觉羽化而登仙。但另有一说，同为老鼠变的则一，同为口渴的也则一，这个则是偷吃了油。我佛面前长明灯，每晚和尚来添油，后来不知怎地，却发现灯盘里面的油，一到隔宿便涓滴也没有留存。和尚好生奇怪，有一回，夜半，私下起来探视，却见一个似老鼠而又非老鼠的东西昏卧在里面。也许他正在朦胧罢，和尚轻轻地捻起，蓦然间他惊醒了，不觉大声而疾呼，“叽！叽！”

和尚慈悲，走出门，一扬手，喝道：

善哉——有翅能飞，有足能走。

于是蝙蝠从此遍天下。

生物学里关于蝙蝠是怎样讲法，现在也不大清楚了。只知道他是胎生的，怪别致的，走兽而不离飞鸟，生上这么两扇软翅。分明还记得，小时候读小学教科书（共和国的），曾经有过蝙蝠君的故事。唉，这太叫人甚么了，想起那教科书，真未免对于此公有些不敬，仿佛说他是被厌弃者，走到兽群，兽群则曰，你有两翅，非我族类。走到鸟群，鸟群则曰，你是胎生，何与吾事。这似乎是因为蝙蝠君会有挑唆和离间的本事。究竟他和他的同辈争过怎样的一席长短，或者与他的先辈先生们有过何种利害冲突的关系，我俱无从知道，固然在事实上好像也找不出甚么证据来，大抵这些都是由于先辈的一时高兴，任意赐给他的头衔罢。然而不然，不见夫钟馗图乎，上有蝙蝠飞来，据说这就是“福”的象征呢，在这里，蝙蝠君倒又成为“幸运儿”了。本来末，举凡人世所谓拥护呀，打倒呀之类，压根儿就是个倚伏作用，孟轲不也说过吗，“赵孟之所贵，赵孟能贱之”。蝙蝠君自然还是在那里过他的幽栖生活。但使我耽心的，不知现在的小学教科书，或者儿童读物里面，还有这类不愉快的故事没有。

夏夜的蝙蝠，在乡村里面的，却有着另一种风味。日之夕矣，这一天的农事告完。麦粮进了仓房。牧人赶回猪羊。老黄牛总是在树下多歇一会儿，嘴里懒懒嚼着干草，白沫一直拖到地，照例还要去南塘喝口水才进牛栏的罢。长工几个人老是蹲在场边，腰里拔出旱烟袋在那里彼此对火。有时也默默然不则一声。场面平滑如一汪水，我们一群孩子喜欢再也没有可说的，有的光了脚在场上乱跑。这时不知从哪里来的蝙蝠，来来往往的只在头上盘旋，也不过是树头高罢，孩子们于是慌了手脚，跟着在场上兜转，性子急一点的未免把光脚乱跺。还是大人告诉我们的，脱下一只鞋，向空抛去，蝙蝠自会钻进里边来，就容易把他捉住了。然而蝙蝠君却在逗弄孩子们玩耍，倒不一定会给捉住的。不过我们跷一只脚在场上跳来跳去，实在怪不方便的，一不慎，脚落地，踏上满袜子土，回家不免要挨父亲瞪眼。有时在外面追赶蝙蝠直至更深，弄得一身土，不敢回家，等到母亲出门呼唤，才没精打采的归去。

年来只在外面漂泊，家乡的事事物物，表面上似乎来得疏阔，但精神上却也分外地觉得亲近。偶尔看见夏夜的蝙蝠，因而想起小时候听白发老人说“奶奶经”以及自己顽皮的故事，真大有不胜其今昔之感了。

关于蝙蝠君的故事，我想先生知道的要多多许，写出来也定然有趣，何妨也就来谈谈这位“夜行者”呢?

Grahame 的《杨柳风》（*The Wind in the Willows*）小书里面，不知曾附带提到这小动物没有，顺便的问一声。

七月二十日，启无。

启无兄：

关于蝙蝠的事情我所知道的很少，未必有什么可以补充。查《和汉三才图会》卷四十二原禽类，引《本草纲目》等文后，按语曰：

> 伏翼身形色声牙爪皆似鼠而有肉翅，盖老鼠化成，故古寺院多有之。性好山椒，包椒于纸抛之，则伏翼随落，竟捕之。若所啮手指则难放，急以椒与之，即脱焉。其为鸟也最卑贱者，故俚语云，无鸟之乡蝙蝠为王。

案日本俗语"无鸟的乡村的蝙蝠"，意思就是矮子队里的长子。蝙蝠喜欢花椒，这种传说至今存在，如东京儿歌云：

蝙蝠，蝙蝠，
给你山椒吧，
柳树底下给你水喝吧。
蝙蝠，蝙蝠，
山椒的儿，
柳树底下给你醋喝吧。

北原白秋在《日本的童谣》中说：

我们做儿童的时候，吃过晚饭就到外边去，叫蝙蝠或是追蝙蝠玩。我的家是酒坊，酒仓左近常有蝙蝠飞翔。而且蝙蝠喜欢喝酒，我们捉到蝙蝠，把酒倒在碟子里，拉住它的翅膀，伏在里边给它酒喝。蝙蝠就红了脸，醉了，或者老鼠似的吱吱地叫了。

日向地方的童谣云：

酒坊的蝙蝠，给你酒喝吧。
喝烧酒么，喝清酒么？
再下一点来再给你喝吧。

有些儿童请它吃糟喝醋，也都是这个意思的变换。不过这未必全是好意，如长野的童谣便很明白，即是想脱一只鞋向空抛去也。其词曰：

蝙蝠，来，

快来！

给你草鞋，快来！

雪如女士编《北平歌谣集》一〇三首云：

檐蝙蝠，穿花鞋，

你是奶奶我是爷。

这似乎是幼稚的恋爱歌，虽然还是说的花鞋。

蝙蝠的名誉我不知道是否系为希腊老奴伊索所弄坏，中国向来似乎不大看轻它的。它是暮景的一个重要的配色，日本《俳句辞典》中说：

无论在都会或乡村，薄暮的景色与蝙蝠都相调和，但热闹杂沓的地方其调和之度较薄。大路不如行人稀少的小路，都市不如寂静的小城，更密切地适合。看蝙蝠时的心情，也要仿佛感着一种萧寂的微淡的哀愁那种心情才好。从满腔快乐的人看去，只是皮相的观察，觉得蝙蝠在暮色中飞翔罢了，并没有什么深意，若是带了什么败残之憾或历史的悲愁那种情调来看，便自然有别种的意趣浮起来了。

这虽是《诗韵含英》似的解说，却也颇得要领。小时候读唐诗（韩退之的诗么?），有两句云，"山石荦确行径微，黄昏到寺蝙蝠飞"，至今还觉得有趣味。会稽山下的大禹庙里，在禹王耳朵里做窠的许多蝙蝠，白昼也吱吱地乱叫，因为我们到庙时不在晚间，所以总未见过这样的情景。日本俳句中有好些咏蝙蝠的佳作，举其一二：

蝙蝠呀，
屋顶草长——
圆觉寺。　　　——亿兆子作

蝙蝠呀，
人贩子的船
靠近了岸。　　——水乃家作

土牢呀，
卫士所烧的火上的
食蚊鸟。　　　——芋村作

Kakuidori，吃蚊子鸟，即是蝙蝠的别名。

格来亨的《杨柳风》里没有说到蝙蝠，他所讲的只是土拨鼠，水老鼠，獾，獭和癞虾蟆。但是我见过一本《蝙蝠的生活》，很有文学的趣味，是法国 Charles Derennes 所著，Willcox 女士于一九二四年译成英文，我所见的便是这一种译本。

十九年七月二十三日，岂明。

【锺校】

①“渴”原作“喝”，下同。

伟大的捕风

我最喜欢读《旧约》里的《传道书》。传道者劈头就说，“虚空的虚空”，接着又说道：“已有的事后必再有，已行的事后必再行。日光之下并无新事。”这都是使我很喜欢读的地方。

中国人平常有两种口号，一种是说人心不古，一种是无论什么东西都说古已有之。我偶读拉瓦尔（Lawall）的《药学四千年史》，其中说及世界现存的埃及古文书，有一卷是基督前二千二百五十年的写本（照中国算来大约是舜王爷登基的初年！），里边大发牢骚，说人心变坏，不及古时候的好云云，可见此乃是古今中外共通的意见，恐怕那天雨粟时夜哭的鬼的意思也是如此罢。不过这在我无从判断，所以只好不赞一词，而对于古已有之说则颇有同感，虽然如说潜艇即古之螺舟，轮船即隋炀帝之龙舟等类，也实在不敢恭维。我想，今有的事古必已有，说的未必对，若云已行的事后必再行，这似乎是无可疑的了。

世上的人都相信鬼，这就证明我所说的不错。普通鬼有两类。一是死鬼，即有人所谓幽灵也，人死之后所化，又可投生为人，轮回不息。二是活鬼，实在应称僵尸，从坟墓里再走到人间，《聊斋》里有好些他的故事。此二者以前都已知道，新近又有人发见一种，即梭罗古勃（Sologub）所说的“小鬼”，俗称当云遗传神君，比别的更是可怕了。易卜生在《群鬼》这本剧中，曾借了阿尔文夫人的口说道：

> 我觉得我们都是鬼。不但父母传下来的东西在我们身体里活着，并且各种陈旧的思想信仰这一类的东西也都存留在里头。虽然不是真正的活着，但是埋伏在内也是一样。我们永远不要想脱身。有时候我拿起张报纸来看，我眼里好像看见有许多鬼在两行字的夹缝中间爬着。世界上一定到处都有鬼。他们的数目就像沙粒一样的数不清楚。　　　　（引用潘家洵先生译文）

我们参照法国吕滂（Le Bon）的《民族发展之心理》，觉得这小鬼的存在是万无可疑，古人有什么守护天使，三尸神等话头，如照古已有之学说，这岂不就是一则很有趣味的笔记材料么？

无缘无故疑心同行的人是活鬼，或相信自己心里有小鬼，这不但是迷信之尤，简直是很有发疯的意思了。然而没有法子。只要稍能反省的朋友，对于世事略加省察，便会明白，现代中国上下的言行，都一行行地写在二十四史的鬼账簿上面。画符，念咒，这岂不是上古的巫师，蛮荒的“药师”的勾当？但是他的生命实在是天壤无穷，在无论哪一时代，还不是一样地在青年老年，公子女公子，诸色人等的口上指上乎？即如我胡乱写这篇东西，也何尝不是一种鬼画符之变相？只此一例足矣！

已有的事后必再有，已行的事后必再行，此人生之所以为虚空的虚空也欤？传道者之厌世盖无足怪。他说：“我又专心察明智慧狂妄和愚昧，乃知这也是捕风，因为多有智慧就多有愁烦，加增智识就加增忧伤。”话虽如此，对于虚空的唯一的办法其实还只有虚空之追迹，而对于狂妄与愚昧之察明乃是这虚无的世间第一有趣味的事，在这里我不得不和传道者的意见分歧了。勃阑特思（Brandes）批评弗罗倍尔（Flaubert）说他的性格是用两种分子合成：

> 对于愚蠢的火烈的憎恶，和对于艺术的无限的爱。这个憎爱，与凡有的憎恶一例，对于所憎恶者感到一种不可抗的牵引。各种形式的愚蠢，如愚行迷信自大不宽容都磁力似的吸引他，感发

他。他不得不一件件的把他们描写出来。

我听说从前张献忠举行殿试，试得一位状元，十分宠爱，不到三天忽然又把他"收拾"了，说是因为实在"太心爱这小子"的缘故，就是平常人看见可爱的小孩或女人，也恨不得一口水吞下肚去，那么倒过来说，憎恶之极反而喜欢，原是可以，殆正如金圣叹说，留得三四癞疮，时呼热汤关门澡之，亦是不亦快哉之一也。

察明同类之狂妄和愚昧，与思索个人之老死病苦，一样是伟大的事业，积极的人可以当一种重大的工作，在消极的也不失为一种有趣的消遣。虚空尽由他虚空，知道他是虚空，而又偏去追迹，去察明，那么这是很有意义的，这实在可以当得起说是伟大的捕风。法儒巴思加耳（Pascal）在他的《感想录》上曾经说过：

> 人只是一根芦苇，世上最脆弱的东西，但他是一根会思想的芦苇。这不必要世间武装起来，才能毁坏他。只须一阵风，一滴水，便足以弄死他了。但即使宇宙害了他，人总比他的加害者还要高贵，因为他知道他是将要死了，知道宇宙的优胜，宇宙却一点不知道这些。

（十八年五月十三日写于北平）

中年

虽然四川开县有二百五十岁的胡老人，普通还只是说人生百年，其实这也还是最大的整数。若是人民平均有四五十岁的寿，那已经可以登入祥瑞志，说什么寿星见了。我们乡间称三十六岁为本寿，这时候死了，虽不能说寿考，也就不是夭折。这种说法我觉得颇有意思。日本兼好法师曾说，“即使长命，在四十以内死了最为得体”，虽然未免性急一点，却也有几分道理。

孔子曰：“四十而不惑。”吾友某君则云，人到了四十岁便可以枪毙。两样相反的话，实在原是盾的两面。合而言之，若曰，四十可以不惑，但也可以不不惑，那么，那时就是枪毙了也不足惜云尔。平常中年以后的人大抵胡涂荒谬的多，正如兼好法师所说，过了这个年纪，便将忘记自己的老丑。想在人群中胡混，执著人生，私欲益深，人情物理都不复了解，

"至可叹息"是也。不过因为怕献老丑，便想得体地死掉，那也似乎可以不必。为什么呢？假如能够知道这些事情，就很有不惑的希望，让他多活几年也不碍事。所以在原则上我虽赞成兼好法师的话，但觉得实际上还可稍加斟酌，这倒未必全是为自己道地，想大家都可见谅的罢。

我决不敢相信自己是不惑，虽然岁月是过了不惑之年好久了，但是我总想努力不至于不不惑，不要人情物理都不了解。本来人生是一贯的，其中却分几个段落，如童年，少年，中年，老年，各有意义，都不容空过。譬如少年时代是浪漫的，中年是理智的时代，到了老年差不多可以说是待死堂的生活罢。然而中国凡事是颠倒错乱的，往往少年老成，摆出道学家超人志士的模样，中年以来重新来秋冬行春令，大讲其恋爱等等，这样地跟着青年跑，或者可以免于落伍之讥，实在犹如将昼作夜，"拽直照原"，只落得不见日光而见月亮，未始没有好些危险。我想最好还是顺其自然，六十过后虽不必急做寿衣，唯一只脚确已踏在坟里，亦无庸再去请[①]斯坦那赫博士结扎生殖腺了。至于恋爱则在中年以前应该毕业，以后便可应用经验与理性去观察人情与物理，即使在市街战斗或示威运动的队伍里少了一个人，实在也有益无损，因为后起的青年自然会去补充（这是说假如少年不是都老成化了，不在那里做各种八股），而别一队伍里也就多了一个人，有如退伍兵去研究动物学，反正于参谋本部的作战计划并无什么妨害的。

话虽如此，在这个当儿要使它不发生乱调，实在是不大容易的事。世间称四十左右曰危险时期，对于名利，特别是色，时常露出好些丑态，这是人类的弱点，原也有可以容忍的地方。但是可容忍与可佩服是绝不相同的事情，尤其是无惭愧地，得意似地那样做，还仿佛是我们的模范似地那样做，那么容忍也还是我们从数十年的世故中来最大的应许，若鼓吹护持似乎可以无须了罢。我们少年时浪漫地崇拜好许多英雄，到了中年再一回顾，那些旧日的英雄，无论是道学家或超人志士，此时也都是老年中年了，差不多尽数地不是显出泥脸便即露出羊脚，给我们一个不客气的幻灭。这有什么办法呢？自然太太的计划谁也难违拗它。风水与流年也好，遗传与环境也好，总之是说明这个的可怕。这样说来，得体地活着这件事或者比得体地死要难得多，假如我们过了四十却还能平凡地生活，虽不见得怎么得体，也不至于怎样出丑，这实在要算是侥天之幸，不能不知所感谢了。

人是动物，这一句老实话，自人类发生以至地球毁灭，永久是实实在在的，但在我们人类则须经过相当年龄才能明白承认。所谓动物，可以含有科学家一视同仁的“生物”与儒教徒骂人的“禽兽”这两种意思，所以对于这一句话人们也可以有两样态度。其一，以为既同禽兽，便异圣贤，因感不满，以至悲观。其二，呼铲曰铲，本无不当，听之可也。我可以说就是这样地想，但是附加一点，有时要去综[2]核名实言行，加以批评。本来棘皮动物不会肤如凝脂，怒毛上指栋的猫不打着呼噜，原是一定的理，毋庸怎么考核，无如人这动物是会说话的，可以自称什么家或主唱某主义等，这都是别的众生所没有的。我们如有闲一点儿，免不得要注意及此。譬如普通男女私情我们可以不管，但如见一个社会栋梁高谈女权或社会改革，却照例纳妾等等，那有如无产首领浸在高贵的温泉里命令大众冲锋，未免可笑，觉得这动物有点变质了。我想文明社会上道德的管束应该很宽，但应该要求诚实，言行不一致是一种大欺诈，大家应该留心不要上当。我想，我们与其伪善还不如真恶，真恶还是要负责任，冒危险。

我这些意思恐怕都很有老朽的气味，这也是没有法的事情。年纪一年年的增多，有如走路一站站的过去，所见既多，对于从前的意见自然多少要加以修改。这是得呢失呢，我不能说。不过，走着路专为贪看人物风景，不复去访求奇遇，所以或者比较地看得平静仔细一点也未可知。然而这又怎么能够自信呢？

（十九年三月）

【鄢校】

①“请”原作“讲”。

②“综”原作“纵”。

体罚

近来随便读斯替文生（R. L. Stevenson）的论文《儿童的游戏》，首节说儿时的过去未必怎么可惜，因为长大了也有好处，譬如不必再上学校了，即使另外须得工作，也是一样的苦工，但总之无须天天再怕被责罚，就是极大的便宜，我看了不禁微笑，心想他老先生（虽然他死时只有四十四岁）小时候大约很打过些手心罢？美国人类学家洛威（R. H. Lowie）在所著《我们是文明么》第十七章论教育的一节[①]内说："直到近时为止，欧洲的小学教师常用皮鞭抽打七岁的小儿，以致终身带着伤痕。在十七八世纪，年幼的公侯以至国王都被他们的师傅所凶殴。"譬如亨利第四命令太子的保姆要着实地打他的儿子，因为"世上再没有别的东西于他更为有益"。太子的被打详明地记在账上，例如：

一六〇三年十月九日，八时醒，很不听话，

初次挨打。（附注，太子生于一六〇一年九月二十七日。）

一六〇四年三月四日，十一时想吃饭。饭拿来时，命搬出去，又叫拿来。麻烦，被痛打。

到了一六一〇年五月正式即位，却还不免于被打。王曾曰："朕宁可不要这些朝拜和恭敬，只要他们不再打朕。"但是这似乎是不可能的事。罗素的《教育论》第九章论刑罚，开首即云："在以前直到很近的时代，儿童和少年男女的刑罚认为当然的事，而且一般以为在教育上是必要的。"西洋俗语有云，"省了棍子，坏了孩子"，就是这个意思，据丹麦尼洛普（C. Nyrop）教授的《接吻与其历史》第五章说，——

不但表示恭敬，而且表示改悔，儿童在古时常命在被打过的棍子上亲吻。凯撒堡（Geilor von Kaiserberg）在十六世纪时曾这样说过：儿童被打的时候，他们和棍子亲吻，说道，——

"亲爱的棍子，忠实的棍子，

没有你老，我哪能变好。"

他们和棍子亲吻，而且从上边跳过，是的，而且从上边蹦过。

这个教育上的打，自天子以至于庶人，从上古直到近代，大约是一律通行，毫无疑问的。听说琼生博士（Samuel Johnson）很称赞一个先生，因为从前打他打得透而且多。卢梭小时候被教师的小姐打过几次屁股，记在《忏悔录》里，后来写《爱弥儿》，提倡自由教育，却也有时主张要用严厉的处置，——我颇怀疑他是根据自己的经验，或者对于被打者没有什么恶意，也未可知。据罗素说，安诺德博士（即是那个大批评家的先德）对于改革英国教育很有功绩，他减少体罚，但仍用于较幼的学生，且以道德的犯罪为限，例如说诳，喝酒，以及习惯的偷懒。有一杂志说体罚使人堕落，不如全废，安诺德博士愤然拒绝，回答说：

> 我很知道这些话的意思，这是根据于个人独立之傲慢的意见，这是既非合理，也不是基督教的，而是根本地野蛮的思想。

他的意思是要养成青年精神的单纯，清醒谦卑，罗素却批注了一句道，由他训练出来的学生那么很自然地相信应该痛打印度人了，在他们缺少谦卑的精神的时候。

我们现在回过来看看中国是怎样呢？棒头出孝子这句俗语是大家都晓得的，在父为子纲的中国厉行扑作教刑，原是无疑的事，不过太子和小皇帝是否也同西国的受教训，那是不明罢了。我只听说光绪皇帝想逃出宫，被太监拦住，拔住御辫拉了回来，略有点儿相近，至于拉回宫去之后有否痛打仍是未详。现在暂且把高贵的方面搁起，单就平民的书房来找材料，亦可以见一斑。材料里最切实可靠的当然是自己的经验，不过不知怎的，大约因为我是稳健派的缘故罢，虽然从过好几个先生，却不曾被打过一下，所以没有什么可说，那么自然只能去找间接的，也就是次等的材料了。

普通在私塾的宪法上规定的官刑计有两种，一是打头，一是打手心。有些考究的先生有两块戒方，即刑具，各长尺许，宽约一寸，一薄一厚。厚的约可五分[②]，用以敲头，在书背不出的时候，落在头角上，嘣然一声，用以振动迟钝的脑筋，发生速力，似专作提撕之用，不必以刑罚论。薄的一块则性质似乎官厅之杖，以扑犯人之掌，因板厚仅二三分，故其声清脆可听。通例，犯小罪，则扑十下，每手各五，重者递加。我的那位先生是通达的人，那两块戒尺是紫檀的，处罚也很宽，但是别的塾师便大抵只有一块毛竹的板子，而且有些凶残好杀的也特别打得厉害，或以桌角抵住手背，以左手握其指力向后拗，令手心突出而拚命打之。此外还有类似非刑的责法，如跪钱板或螺蛳壳上等皆是。传闻曾祖辈中有人，因学生背书不熟，以其耳夹门缝中，推门使阖，又一叔辈用竹枝鞭学生血出，取擦牙盐涂其上，结果二人皆被辞退。此则塾师内的酷吏传的人物，在现今青天白日的中国总未必再会有的罢。

可是，这个我也不大能够担保。我不知道现在社会上的一切体罚是否都已废止？笞杖枷号的确久已不见了，但是此外侦查审问时的拷打，就是所谓“做”呢？这个我不知道。普通总是官厅里的苦刑先废，其次才是学校，至于家庭恐怕是在最后，——而且也不知到底废得成否，特别是这永久“伦理化”的民国。在西洋有一个时候把儿童当作小魔鬼，种种的想设法克服他，中国则自古至今将人都作魔鬼看，不知闹到何时才肯罢休。我回想斯替文生的话，觉得他真舒服极了，因为他不去上学校之后总可以无须天天再怕被责罚了。

（十九年五月）

【锺校】

①“节”原作“章”。

【鄢校】

②“分”原作“寸”。

吃菜

偶然看书讲到民间邪教的地方，总常有吃菜事魔等字样。吃菜大约就是素食，事魔是什么事呢？总是服侍什么魔王之类罢，我们知道希腊诸神到了基督教世界多转变为魔，那么魔有些原来也是有身分的，并不一定怎么邪曲，不过随便地事也本可不必，虽然光是吃菜未始不可以，而且说起来我也还有点赞成。本来草的茎叶根实只要无毒都可以吃，又因为有维他命某，不但充饥还可养生，这是普通人所熟知的，至于专门地或有宗旨地吃，那便有点儿不同，仿佛是一种主义了，现在我所想要说的就是这种吃菜主义。

吃菜主义似乎可以分作两类。第一类是道德的。这派的人并不是不吃肉，只是多吃菜，其原因大约是由于崇尚素朴清淡的生活。孔子云："饭疏食，饮水，曲肱而枕之，乐亦在其中矣。"可以说是这派的祖师。《南齐书》周颙传云："颙清贫寡欲，终日长蔬食。

文惠太子问颙菜食何味最胜，颙曰，春初早韭，秋末晚菘。”黄山谷题画菜云：“不可使士大夫不知此味，不可使天下之民有此色。”——当作文章来看实在不很高明，大有帖括的意味，但如算作这派提倡咬菜根的标语却是颇得要领的。李笠翁在《闲情偶寄》卷五说：

> 声音之道，丝不如竹，竹不如肉，为其渐近自然，吾谓饮食之道，脍不如肉，肉不如蔬，亦以其渐近自然也。草衣木食，上古之风，人能疏远肥腻，食蔬蕨而甘之，腹中菜园不使羊来踏破，是犹作羲皇之民，鼓唐虞之腹，与崇尚古玩同一致也。所怪于世者，弃美名不居，而故异端其说，谓佛法如是，是则谬矣。吾辑《饮馔》一卷，后肉食而首蔬菜，一以崇俭，一以复古，至重宰割而惜生命，又其念兹在兹而不忍或忘者矣。

笠翁照例有他的妙语，这里也是如此，说得很是清脆。虽然照文化史上讲来吃肉该在吃菜之先，不过笠翁不及知道，而且他又哪里会来斤斤地考究这些事情呢。

吃菜主义之二是宗教的，普通多是根据佛法，即笠翁所谓异端其说者也。我觉得这两类显有不同之点，其一吃菜只是吃菜，其二吃菜乃是不食肉，笠翁上文说得蛮好，而下面所说念兹在兹的却又混到这边来，不免与佛法发生纠葛了。小乘律有杀戒而不戒食肉，盖杀生而食已在戒中，唯自死鸟残等肉仍在不禁之列，至大乘律始明定食肉戒，如《梵网经》菩萨戒中所举，其辞曰：

> 若佛子故食肉，——一切众生肉不得食：夫食肉者断大慈悲佛性种子，一切众生见而舍去。是故一切菩萨不得食一切众生肉，食肉得无量罪，——若故食者，犯轻垢罪。

贤首疏云：

> 轻垢者，简前重戒，是以名轻，简异无犯，故亦名垢。又释，渎污清净行名垢，礼非重过称轻。

因为这里没有把杀生算在内，所以算是轻戒。但话虽如此，据《目莲问罪报经》所说，犯突吉罗众学戒罪，如四天王寿，五百岁堕泥犁中，于人间数九百千岁，此堕等活地狱，人间五十年为天一昼夜，可见还是不得了也。

我读《旧约·利未记》，再看大小乘律，觉得其中所说的话要合理得多，而上边食肉戒的措辞我尤为喜欢，实在明智通达，古今莫及。《入楞伽经》所论虽然详细，但仍多为粗恶凡人说法，道世在《诸经要集》中酒肉部所述亦复如是，不要说别人了。后来讲戒杀的大抵偏重因果一端，写得较好的还是莲池的《放生文》和周安士的《万善先资》，文字还有可取，其次《好生救劫编》《卫生集》等，自郐以下更可以不论，里边的意思总都是人吃了虾米再变虾米去还吃这一套，虽然也好玩，难免是幼稚了。我以为菜食是为了不食肉，不食肉是为了不杀生，这是对的，再说为什么不杀生，那么这个解释我想还是说不欲断大慈悲佛性种子最为得体，别的总说得支离。众生有一人不得度的时候自己决不先得度，这固然是大乘菩萨的弘愿，但凡夫到了中年，往往会看轻自己的生命而尊重人家的，并不是怎么奇特的现象。难道肉体渐近老衰，精神也就与宗教接近么？未必然，这种态度有的从宗教出，有的也会从唯物论出的。或者有人疑心唯物论者一定是主张强食弱肉的，却不知道也可以成为大慈悲宗，好像是《安士全书》信者，所不同的他是本于理性，没有人吃虾米那些律例而已。

据我看来，吃菜亦复佳，但也以中庸为妙，赤米白盐绿葵紫蓼之外，偶然也不妨少进三净肉，如要讲净素已不容易，再要彻底便有碰壁的危险。《南齐书·孝义传》纪江泌事，说他“食菜不食心，以其有生意也”，觉得这件事很有风趣，但是离彻底总还远呢。英国柏忒勒（Samuel Butler）所著《无何有[1]之乡游记》（*Erewhon*）中第二十六七章叙述一件很妙的故事，前章题曰《动物权》，说古代有哲人主张动物的生存权，人民实行菜食，当初许可吃牛乳鸡蛋，后来觉得挤牛乳有损于小牛，鸡蛋也是一条可能的生命，所以都禁了，但陈鸡蛋还勉强可以使用，只要经过检查，证明确已陈年臭坏了，贴上一张“三个月以前所生”的查票，就可发卖。次章题曰《植物权》，已是六七百年过后的事了，那时又出了一个哲学家，他用实验证明植物也同动物一样地有生命，所以也不能吃，据他的意思，人可以吃的只有那些自死的植物，例如落在地上将要腐烂的果子，或在深秋变黄了的菜叶。他说只有这些同样的废物，人们可以吃了于心无愧。

> 即使如此，吃的人还应该把所吃的苹果或梨的核，杏核，樱桃核及其他，都种在土里，不然他就将犯了堕胎之罪。至于五谷，据他说那是全然不成，因为每颗谷都有一个灵魂像人一样，他也自有其同样地要求安全之权利。

结果是大家不能不承认他的理论，但是又苦于难以实行，逼得没法了便索性开了荤，仍旧吃起猪排牛排来了。这是讽刺小说的话，我们不必认真，然而天下事却也有偶然暗合的，如《文殊师利问经》云：

> 若为己杀，不得啖。若肉林中已自腐烂，欲食得食。若欲啖肉者，当说此咒：如是，无我无我，无寿命无寿命，失失，烧烧，破破，有为，除杀去。此咒三说，乃得啖肉，饭亦不食。何以故？若思惟饭不应食，何况当啖肉。

这个吃肉林中腐肉的办法岂不与陈鸡蛋很相像，那么烂果子黄菜叶也并不一定是无理，实在也只是比不食菜心更彻底一点罢了。

（二十年十一月十八日，于北平）

【锺校】

①“无何有”原作“有何无”。

志摩纪念

面前书桌上放着九册新旧的书，这都是志摩的创作，有诗，文，小说，戏剧，——有些是旧有的，有些给小孩们拿去看丢了，重新买来的。《猛虎集》是全新的，衬页上写了这几行字："志摩飞往南京的前一天，在景山东大街遇见，他说还没有送你《猛虎集》，今天从志摩的追悼会出来，在景山书社买得此书。"

志摩死了，现在展对遗书，就只感到古人的人琴俱亡这一句话，别的没有什么可说。志摩死了，这样精妙的文章再也没有人能做了，但是，这几册书遗留在世间，志摩在文学上的功绩也仍长久存在。中国新诗已有十五六年的历史，可是大家都不大努力，更缺少锲而不舍地继续努力的人，在这中间志摩要算是唯一的忠实同志，他前后苦心地创办诗刊，助成新诗的生长，这个劳绩是很可纪念的，他自己又孜孜矻矻地从事于创作，自《志摩的诗》以至《猛虎集》，进步很是显然，便是像我这样外行也觉得这是显然。散文方面志摩的成就也并不小，据我个人的愚见，中国散文中现有几派，适之仲甫一派的文章清新明白，长于说理讲学，好像西瓜之有口皆甜，平伯废名一派涩如青果，志摩可以与冰心女士归在一派，仿佛是鸭儿梨的样子，流丽轻脆，在白话的基本上加入古文方言欧化种种成分，使引车卖浆之徒的话进而为一种富有表现力的文章，这就是单从文体变迁上讲也是很大的一个供献了。志摩的诗，文，以及小说戏剧在新文学上的位置与价值，将来自有公正的文学史家会来精查公布，我这里只是笼统地回顾一下，觉得他半生的成绩已经很够不朽，而在这壮年，尤其是在这艺术地“复活”的时期中途凋丧，更是中国文学的一大损失了。

但是，我们对于志摩之死所更觉得可惜的是人的损失。文学的损失是公的，公摊了时个人所受到的只是一份，人的损失却是私的，就是分担也总是人数不会太多而分量也就较重了。照交情来讲，我与志摩不算顶深，过从不密切，所以留在记忆上想起来时可以引动悲酸的情感的材料也不很多，但即使如此我对于志摩的人的悼惜也并不少。的确如适之所说，志摩这人很可爱，他有他的主张，有他的派路，或者也许有他的小毛病，但是他的态度和说话总是和蔼真率，令人觉得可亲近，凡是见过志摩几面的人，差不多都受到这种感化，引起一种好感，就是有些小毛病小缺点也好像脸上某处的一颗小黑痣，也是造成好感的一小小部分，只令人微笑点头，并没有嫌憎之感。有人戏称志摩为诗哲，或者笑他的戴印度帽，实在这些戏弄里都仍含有好意的成分，有如老同窗要举发从前吃戒尺的逸事，就是有派别的作家加以攻击，我相信这所以招致如此怨恨者也只是志摩的阶级之故，而决不是他的个人。适之又说志摩是诚实的理想主义者，这个我也同意，而且觉得志摩因此更是可尊了。这个年头儿，别的什么都有，只是诚实却早已找不到，便是爪哇国里恐怕也不会有了罢，志摩却还保守着他天真烂漫的诚实，可以说是世所希有的奇人了。我们平常看书看杂志报章，第一感到不舒服的是那伟大的说诳，上自国家大事，下至社会琐闻，不是恬然地颠倒黑白，便是无诚意地弄笔头，其实大家也各自知道是怎么一回事，自己未必相信，也未必望别人相信，只觉得非这样地说不可。知识阶级的人挑着一副担子，前面是一筐子马克思，后面一口袋尼采，也是数见不鲜的事，在这时候有一两个人能够诚实不欺地在言行上表现出来，无论这是哪一种主张，总是很值得我们的尊重的了。关于志摩的私德，适之有代为辩明的地方，我觉得这并不成什么问题。为爱惜私人名誉起见，辩明也可以说是朋友的义务，若是从艺术方面看去这似乎无关重要。诗人文人这些人，虽然与专做好吃的包子的厨子，雕好看的石像的匠人，略有不同，但总之小德逾闲与否于其艺术没有多少关系，这是我想可以明言的。不过这也有例外，假如是文以载道派的艺术家，以教训指导我们大众自任，以先知哲人自任的，我们在同样谦恭地接受他的艺术以前，先要切实地检察他的生活，若是言行不符，那便是假先知，须得谨防上他的当。现今中国的先知有几个禁得起这种检察的呢，这我可不得而知了。这或者是我个人的偏见亦未可知，但截至现在我还没有找到觉得更对的意见，所以对于志摩的事也就只得仍是这样地看下去了。

志摩死后已是二十几天了，我早想写小文纪念他，可是这从哪里去着笔呢？我相信写得出的文章大抵都是可有可无的，真的深切的感情只有声音，颜色，姿势，或者可以表出十分之一二，到了言语便有点儿可疑，何况又到了文字。文章的理想境我想应该是禅，是个不立文字，以心传心的境界，有如世尊拈花，迦叶微笑，或者一声“且道”，如棒敲头，夯地一下顿然明了，才是正理，此外都不是路。我们回想自己最深密的经验，如恋爱和死生之至欢极悲，自己以外只有天知道，何曾能够于金石竹帛上留下一丝痕迹，即使呻吟作苦，勉强写下一联半节，也只是普通的哀辞和定情诗之流，哪里道得出一分苦甘，只看汗牛充栋的集子里多是这样物事，可知除圣人天才之外谁都难逃此难。我只能写可有可无的文章，而纪念亡友又不是可以用这种文章来敷衍的，而纪念刊的收稿期限又迫切了，不得已还只得写，结果还只能写出一篇可有可无的文章，这使我不得不重又叹息。这篇小文的次序和内容差不多是套适之在追悼会所发表的演辞的，不过我的话说得很是素朴粗笨，想起志摩平素是爱说老实话的，那么我这种老实的说法或者是志摩的最好纪念亦未可知，至于别的一无足取也就没有什么关系了。

（民国二十年十二月十三日，于北平）

论居丧［译文］

希腊路吉亚诺思著

一般人在居丧时候的行为，他的言语，以及别人安慰他的话，在好奇的观察者都是值得注意的事。丧主以为这是一个可怕的打击落在他自己和死者的身上，其实是相反（这里我呼冥王夫妇为证），那死者不但是无可悲叹，或者倒是得了更好的境遇。丧家的感情实际上是全受着风俗习惯的指导。在这时候的仪注——不，但是让我先来一说民间关于死这件事的信仰，随后再看那些造成繁重礼节之动机，我们就不难明白了。

那些凡人（如哲学家称呼那一般人们）拿荷马、赫西阿特等诗人的故事当作教科书，深信地下有一深的窟窿，叫做冥土，广大阴暗，没有太阳，但很神秘地有点明亮，一切事物都可以看得清楚。冥土的王是大神宙斯的一个兄弟，名曰富老（Pluton），这个名字，据一位能干的言语学家告诉我，含有颂扬他的阴财的意思。至于他的管辖的性质[①]，他的人民的情况，据说他是统治死者一切，自他们归他支配以后，永远不能解脱，死者无论如何不准回到世上，自从天地开辟只有过二三例外，而这又是有特别紧要的理由才能办到。他的领土周围为大河所环绕，这些河名听了就叫人害怕，如哭河，火焰河等。其中最为可怕，第一妨碍来人的前进的，是那苦河，如不用渡船是无人渡得过的，要徒涉是太深，要游泳是太宽，便是死鸟也是不能飞渡。在那边渡头，有一座金刚石门，冥王的侄儿哀亚珂思站在那里看守。在他旁边是一匹三个头的狗，凶狠的畜生，可是对于新来的很是和善，它只是叫或咬那想要逃走的人。河的那边是一片草原，生着水仙花，在那里又有一座泉水，专与记忆作对，因此叫做忘泉。这些详细的记录，古人一定是从这些人得来的罢，便是忒萨利亚王后亚耳该斯谛思和她的同乡布洛忒西劳思，哀格思的儿子忒修思，还有《阿迭绥亚》史诗的主人公。这些见证（他们的证明是应得我们恭敬地承受的）据我想大概都没有喝那忘泉的水，因为否则他们是不会记得的。照他们所说，最高的主权完全是在冥王夫妇的手里，但是他们也有下属，帮助治理，有如报应，苦痛，恐怖等诸神，又有赫耳美思，虽然他不常在那里伺候。司法权是交给两位总督，米诺思和拉达曼都思，都是克来忒岛人，也都是宙斯的儿子。他们打发那些善良正直的，遵守道德的人，成群地到往者原去殖民，在那里享受全福的生活。恶人呢，便都交付报应神，率引到恶人的地方，照着他的罪过去受适当的刑罚。那里有多少不同的苦刑呀！天平架，火，以及切齿的大鹰，伊克西恩在这里挂在轮子上转，西舒福思在那里滚着他的石头。我也并不忘记丹泰洛思，但是他站在别处，站在河的贴边，却是干枯的几乎是要口渴死了，那个可怜的家伙。在冥间还有那许多中等的鬼魂，他们在草原上游行，没有形体的阴影，像烟似地捉摸不着。他们的营养似乎专靠我们在墓上所供献的奠酒和祭品，因此假如在世上没有亲戚朋友活着，那么这鬼在阴间只好饿着肚子过这一世了。

（附注：伊克西恩本是国王，宙斯招他到天上去，却想引诱他的皇后，被罚到阴间缚在车轮上永久转着。西舒福思是很狡狯的英雄，他把死神捆在家里，又欺骗冥王逃回阳间，死后令转石上山，好容易辛辛苦苦地办到了，石头又滚下山去，还得重转。丹达[2]洛思是宙斯的儿子，作恶多端，杀了自己的儿子，煮给众神去吃，试探他们，后来罚站河边却喝不到水，头上有很好吃的果子，伸手取时又复远去。）

一般人民平常听了这些教训，感受极深，所以在一个人死了的时候，他的亲属第一件事是放一个铜元在他嘴里，好叫他拿去付那渡船钱，他们也并不想一想本地流通的是什么钱，是[3]亚迭加，马其顿，还是哀吉亚钱呢？他们也不想到，假如拿不出渡船钱，在死者岂不更好，因为那么舟夫便不肯渡他，他就将被打发回阳间来了。他们恐怕苦河的水不适于鬼魂化装之用，把尸首洗过了，搽上最好的香料以防止腐蚀，戴上鲜花，穿上美服，摆列出去，这末了显然是一种预防，是使死者在路上不要受凉呢，或是不要光着身子去见那三头的狗罢。随后是哭泣了。女人们大声叫喊，男女同样地哭，捶胸，拔头发，抓面颊，在这时候衣服也或撕破，尘土撒在头上。这样，生存的人弄得比死者的情形要更为可怜，在他们大抵都在地上打滚碰头的时候，他一个人却阔气地穿着衣，光荣地戴着花圈，从容地躺在高高的灵床上，好像是装饰了要去迎会似的。那母亲——不，这是父亲，或者像一点也未可知，——从亲属中间迈步上前，倒在灵床上（为增加戏剧的效力起见，我们假定这灵床上的主者是年少而且美貌），叫喊出乱七八糟[4]的没有意义的声音，只是死尸不会说话，否则它也一定有什么回答的话要说罢。父亲随后说，个个字都悲哀的着力地说，他的儿子，他所爱的儿子，现在是没有了，他是去了，在他大限未到以前被拉去了，只剩下他老人家来悲悼他。他未曾娶妻，未曾生子，未曾到过战场，未曾扶过犁耙，未曾到得老年，他现在再也不能享乐，再也不能知道恋爱的欢娱，鸣呼，再也不能同朋友在席上喝得醉醺醺了。云云，云云。他猜想他的儿子还想要这些东西，可是终想不到手了。但这也没有什么，我们知道时时有人拿了马，妾和书童，到坟上去杀掉，拿了衣服和别的装饰去烧或埋葬，意思是叫死者在冥间可以享用这些东西。且说那苦痛的老年人发表我上边所拟的哀词，或者同类的另外的话，据我想来，似乎并不是要说给他的儿子听（他的儿子是不会听见他的，即使他比斯登多耳还喊得响），又不是为他自己，因为他完全知道自己的感情，无须再嚷一遍到自己的耳朵里去。（附注：斯登多耳是古英雄，声音洪大，在希腊出征忒罗亚军中为传令官。）自然的结论是，这个玩意儿是要给看客们看的。他在此时一直就没有知道他儿子是在哪里，情况怎样，也并不能对于人生略加思索，因为不然他就不会不明白，人的丧失生命并不是那样的了不得的一件事了。让我们想像那儿子对判官冥王告了假，到阳世来窥望一下，来阻止这些老人的唠叨罢。他将要说道：

"老爹，得了罢，这样的嚷嚷是干什么？你把我噪昏了。拔头发抓脸都尽够了。你叫我是可怜的人，你实在是侮辱了一个比你更快乐更有运气的人了。你为什么这样地替我伤心？难道因为我没有像你一样，不是一个秃头，驼背，皱皮的老废物么？因为我没有活到变成老丑，没有看见过一千个月亮的圆缺，临了去到众人面前献丑么？你能够指出人生有哪一点好处，是我们在阴间所缺少的么？我知道你所要说的话，衣服，好饭食，酒和女人，你以为没有这些在我一定是极不舒服的。你现在知道了么，没有饥渴是比酒肉还要好，不觉得冷是胜于许多衣服？来，我看你还需要指点，我教你这是应该怎样哭的。从新哭过罢，这样。啊，我的儿子！饥渴寒冷现在已经没有他的份了！他是去了，去到疾病的权力以外，他不再怕那热病，也不再怕仇人和暴君了。我的儿子，恋爱不能再来扰乱你的平安，损害你的健康，侵略你的钱袋了，啊，这真是大变呀！你也不会再到那可厌的老年，也不会再做你后辈的眼中钉了！——你说罢，我的哀词岂不胜过你的，在真实和荒唐这两件上岂不都比你强么。

或者你所挂念的是地下的那漆黑的暗罢？是

这个使你不安么？是你怕我封在棺材里要闷死么？你要知道，我的眼睛不久就要腐烂，或者（如你喜欢这样办）就要被火烧掉了，此后我不会看得出光明或黑暗了。这个就可以这样算了罢。但是，现在看来这些哀悼，这吹箫呀，椎胸呀，这许多无谓的叫喊呀，于我都有什么好处呢？我又要我坟上挂鲜花的圆柱什么用？你到这上面去奠酒，你想这有什么意思，你希望这酒一直滤过去沁到冥间么？至于祭品，你一定看得出，所有的滋养料都变成烟冲上天去，我们鬼魂还是依然故我，馀下来的乃是灰土，是无用的。难道你的学说是，鬼是贪吃灰的么？冥王的国土并不是那样荒芜，我们的水仙也不怎么缺乏，至于要来请求你接济粮食。因为这些寿衣和毡包，我的两腭已被结实地兜住了，否则，凭了报施音（附注：报应女神之一）的名字，我听了你所说的话，看了你所做的事，早就忍不住大笑起来了。”

说到这句，死神永久封了他的嘴唇了。

我们所说，这位死尸，斜靠躺着，用一只胳膊支住身子，这样地说。我们能够疑心他所说的不对么？可是那些傻子，自己闹得不够，还要去招专门的助手来，那是一个哀悼的艺术家，有一大堆的现成的悲伤放在手头，于是就充作这愚蠢的歌咏队的指导，供给他们哀词的题旨。这样可见人都是相像的傻子。但是在这地方，民族的特质显露出来了。希腊人焚烧他们的死人，波斯人用埋葬，印度人用釉漆，斯屈提亚人吃在肚里，埃及人做成木乃伊。在埃及，死尸好好地风干之后，仍请他坐在食桌前面，我亲自看见过，而且这也是一件很平常的事情，假如埃及人想救济自己的经济困难，便可以带了他已故的兄弟或父亲到当铺里去走一趟。三角塔，坟山，圆柱，上加短命的铭词，都是显而易见的儿戏似的无用的东西。有些人却更进一步，想对那冥间的判官替死者说情，或是证明他的功业，便举行那葬时的竞技，建立颂扬的墓碑。最后的荒唐事是回丧饭，那时到场的亲戚努力安慰那父母，劝他们吃饭，他们呢，天知道，三天的斋戒已经几乎饿坏了，本来是很愿意顺从的了。一个客人说道："这要拖延多久呢？你让那去世的圣灵平安休息罢。假如你要悲悼，你也得吃饭才好，使得你的力气抵得过你的悲伤。"在这个当儿，便会有一对荷马的诗句，在席上传诵过去，譬如——

就是美发的尼阿倍也不忘记吃食。

还有——

亚伽亚人不把断食来哀悼他们的死者。

（附注：尼阿倍因子女众多美妙，自夸胜于神母，诸子女悉为亚颇隆所射死，尼阿倍悲伤化为石。）

父母听从了劝告，虽然他们最初动手吃食似乎有点害羞，他们不愿意被人家说，丧了子女之后他们还是这样为肉体的需要所束缚。

以上是丧家所行的荒唐事之一斑，因为我不能列举这些事情的一切。这都从凡人的误解发生，以为死是人所能遭遇的最坏的一件事。

［附记］路吉亚诺思（Lukianos）生于二世纪时，本叙利亚人，在希腊罗马讲学，用希腊语作讽刺文甚多。我曾译过一篇《冥土旅行》，又《娼女问答》三篇收在《陀螺》中。原本我只有《信史》等数篇，今均据奥斯福大学英译本译出。关于此篇，福娄氏（Fowler）序文中曾云：

这不必否认，他有点缺乏情感，在他分析的性情上是无足怪的，却也并不怎么不愉快。他是一种坚硬而漂亮的智慧，但没有情分。他恬然地使用他的解剖刀，有时候真带着些野蛮的快乐。在《论居丧》这一篇里，他无慈悲地把家庭感情上的幕都撕碎了。

是的，路吉亚诺思[5]的讽刺往往是无慈悲的，有时恶辣地直刺到人家心坎里。但是我们怎么能恨他。他是那么明智地，又可说那么好意地这样做，而我们又实在值得他那样的鞭挞。正如被斯威夫德骂为耶呼（Yahoo），我们还只得洗耳恭听。这虽然或者有点被虐狂的嫌疑，我们鞭挞自己的死尸觉得还是一件痛快事，至少可以当作这荒谬万分的人类的百分之一的辩解。

（下略）

（十九年三月十五日，于北平）

【锺校】

①“质”原作“资”。

②“达”前作“泰”。

③“是”原作“长”。

④“糟”原作“遭”。

⑤“亚诺思”原作“诺亚思”。

论八股文

我查考中国许多大学的国文学系的课程，看出一个同样的极大的缺陷，便是没有正式的八股文的讲义。我曾经对好几个朋友提议过，大学里——至少是北京大学应该正式地“读经”，把儒教的重要的经典，例如《易》《诗》《书》，一部部地来讲读，照在现代科学知识的日光里，用言语历史学来解释它的意义，用“社会人类学”来阐明它的本相，看它到底是什么东西，此其一。在现今大家高呼伦理化的时代，固然也未必会有人胆敢出来提倡打倒圣经，即使当日真有“废孔子庙罢其祀”的呼声，他们如没有先去好好地读一番经，那么也还是白呼的。我的第二个提议即是应该大讲其八股，因为八股是中国文学史上承先启后的一个大关键，假如想要研究或了解本国文学而不先明白八股文这东西，结果将一无所得，既不能通旧的传统之极致，亦遂不能知新的反动之起源。所以，除在文学史大纲上公平地讲过之外，在本科二三年应礼聘专家讲授八股文，每周至少二小时，定为必修科，凡此课考试不及格者不得毕业。这在我是十二分地诚实的提议，但是，呜呼哀哉，朋友们似乎也以为我是以讽刺为业，都认作一种玩笑的话，没有一个肯接受这个条陈。固然，人选困难的确也是一个重要的原因，精通八股的人现在已经不大多了，这些人又未必都适于或肯教，只有夏曾佑先生听说曾有此意，然而可惜这位先觉早已归了道山了。

八股文的价值却决不因这些事情而跌落。它永久是中国文学——不，简直可以大胆一点说中国文化的结晶，无论现在有没有人承认这个事实，这总是不可遮掩的明白的事实。八股算是已经死了，不过，它正如童话里的妖怪，被英雄剁做几块，它老人家整个是不活了，那一块一块的却都活着，从那妖形妖势上面看来，可以证明老妖的不死。我们先从汉字看起。汉字这东西与天下的一切文字不同，连日本朝鲜在内：它有所谓六书，所以有象形会意，有偏旁；有所谓四声，所以有平仄。从这里，必然地生出好些文章上的把戏。有如对联，“云中雁”对“鸟枪打”这种对法，西洋人大抵还能了解，至于红可以对绿而不可以对黄，则非黄帝子孙恐怕难以懂得了。有如灯谜，诗钟。再上去，有如律诗，骈文，已由文字的游戏而进于正宗的文学。自韩退之文起八代之衰，化骈为散之后，骈文似乎已交末运，然而不然：八股文生于宋，至明而少长，至清而大成，实行散文的骈文化，结果造成一种比六朝的骈文还要圆熟的散文诗，真令人有观止之叹。而且破题的作法差不多就是灯谜，至于有些“无情搭”显然须应用诗钟的手法才能奏效。所以八股不但是集合古今骈散的菁华，凡是从汉字的特别性质演出的一切微妙的游艺也都包括在内，所以我们说它是中国文学的结晶，实在是没有一丝一毫的虚价。民国初年的文学革命，据我的解释，也原是对于八股文化的一个反动，世上许多褒贬都不免有点误解，假如想了解这个运动的意义而不先明了八股是什么东西，那犹如不知道清朝历史的人想懂辛亥革命的意义，完全是不可能的了。

其次，我们来看一看八股里的音乐的分子。不幸我于音乐是绝对的门外汉，就是顶好的音乐我听了也只是不讨厌罢了，全然不懂它的好处在哪里，但是我知道，中国国民酷好音乐，八股文里含有重量的音乐分子，知道了这两点，在现今的谈论里也就勉强可以对付了。我常想中国人是音乐的国民，虽然这些音乐在我个人偏偏是不甚喜欢的。中国人的戏迷是实在的事，他们不但在戏园子里迷，就是平常一个人走夜路，觉得有点害怕，或是闲着无事的时候，便不知不觉高声朗诵出来，是《空城计》的一节呢，还是《四郎探母》，因为是外行我不知道，但总之是唱着什么就是。昆曲的句子已经不大高明，皮簧更是不行，几乎是“八部书外”的东西，然而中国的士大夫也乐此不疲，虽然他们如默读脚本，也一定要大叫不通不止，等到在台上一发声，把这些不通的话拉长了，加上丝弦家伙，他们便觉得滋滋有味，颠头摇腿，至于忘形：我想，这未必是中国的歌唱特别微妙，实在只是中国人特别嗜好节调罢。从这里我就联想到中国人的读诗，读古文，尤其是读八股的上面去。他们读这些文章时的那副情形大家想必还记得，摇头摆脑，简直和听梅畹华先生唱戏时差不多，有人见了要诧异地问，哼一篇烂如泥的烂时文，何至于如此快乐呢？我知道，他是麻醉于音乐里哩。他读到这一出股：“天地乃宇宙之乾坤，吾心实中怀之在抱，久矣夫千百年来已非一日矣，溯往事以追维，曷勿考记载而诵诗书之典要。”耳朵里只听得自己的琅琅的音调，便有如置身戏馆，完全忘记了这些狗屁不通的文句，只是在抑扬顿挫的歌声中间三魂渺渺七魄茫茫地陶醉着了。（说到陶醉，我很怀疑这与抽大烟的快乐有点相近，只可惜现在还没有充分的材料可以证明。）再从反面说来，做八股文的方法也纯粹是音乐的。它的第一步自然是认题，用做灯谜诗钟以及喜庆对联等法，检点应用的材料，随后是选谱，即选定合宜的套数，按谱填词，这是极重要的一点。从前有一个族叔，文理清通，而屡试不售，遂发愤用功，每晚坐高楼上朗读文章（《小题正鹄》?），半年后应府县考皆列前茅，次年春间即进了秀才。这个很好的例可以证明八股是文义轻而声调重，做文的秘诀是熟记好些名家旧谱，临时照填，且填且歌，跟了上句的气势，下句的调子自然出来，把适宜的平仄字填上去，便可成为上好时文了。中国人无论写什么都要一面吟哦着，也是这个缘故，虽然所做的不是八股。读书时也是如此，甚至读家信或报章也非朗诵不可，于此更可以想见这种情形之普遍了。

其次，我们再来一谈中国的奴隶性罢。几千年来的专制养成很顽固的服从与模仿根性，结果是弄得自己没有思想，没有话说，非等候上头的吩咐不能有所行动，这是一般的现象，而八股文就是这个现象的代表。前清末年有过一个笑话，有洋人到总理衙门去，出来了七八个红顶花翎的大官，大家没有话可讲，洋人开言道“今天天气好”，首席的大声答道“好”，其馀的红顶花翎接连地大声答道好好好……，其声如狗叫云。这个把戏，是中国做官以及处世的妙诀，在文章上叫作“代圣贤立言”，又可以称作“赋得”，换句话就是奉命说话。做“制艺”的人奉到题目，遵守“功令”，在应该说什么与怎样说的范围之内，尽力地显出本领来，显得好时便是“中式”，就是新贵人的举人进士了。我们不能轻易地笑前清的老腐败的文物制度，它的精神在科举废止后在不曾见过八股的人们的心里还是活着。吴稚晖公说过，中国有土八股，有洋八股，有党八股，我们在这里觉得未可以人废言。在这些八股做着的时候，大家还只是旧日的士大夫，虽然身上穿着洋服，嘴里咬着雪茄。要想打破一点这样的空气，反省是最有用的方法，赶紧去查考祖先的窗稿，拿来与自己的大作比较一下，看看土八股究竟死绝了没有，是不是死了之后还是夺舍投胎地复活在我们自己的心里。这种事情恐怕是不大愉快的，有些人或者要感到苦痛，有如洗刮身上的一个大疔疮。这个，我想也可以各人随便，反正我并不相信统一思想的理论，假如有人怕感到幻灭之悲哀，那么让他仍旧把膏药贴上也并没有什么不可罢。

总之我是想来提倡八股文之研究，纲领只此一句，其馀的说明可以算是多馀的废话，其次，我的提议也并不完全是反话或讽刺，虽然说得那么地不规矩相。

（十九年五月）

《文学论》译本序

张我军君把夏目漱石的《文学论》译成汉文，叫我写一篇小序。给《文学论》译本写序我是很愿意的，但是，这里边我能说些什么呢？实在，我于文学知道得太少了。不过夏目的文章是我素所喜欢的，我的读日本文书也可以说是从夏目起手。一九〇六年我初到东京，夏目在杂志 *Hototogisu*（此言《子规》）上发表的小说《我是猫》正很有名，其单行本上卷也就出版，接着他在大学的讲义也陆续给书店去要了来付印，即这本《文学论》和讲英国十八世纪文学的一册《文学评论》。本来他是东京大学的教授，以教书为业的，但是这两年的工作似乎于他自己无甚兴味，于社会更无甚影响，而为了一头猫的缘故忽然以小说成名，出大学而进报馆，定了他文学著作上的去向，可以说是很有趣味的事。夏目的小说，自《我是猫》《漾虚集》《鹑笼》以至《三四郎》和《门》，从前在赤羽桥边的小楼上偷懒不去上课的时候，差不多都读而且爱读过，虽我所最爱的还是《猫》，但别的也都颇可喜，可喜的却并不一定是意思，有时便只为文章觉得令人流连不忍放手。夏目而外这样的似乎很少，后辈中只是志贺直哉有此风味，其次或者是佐藤春夫罢。那些文学论著本不是为出版而写的东西，只是因为创作上有了名，就连带地有人愿为刊行，本人对于这方面似乎没有多大兴趣，所以后来虽然也写《鸡头》的序文这类文章，发表他的低徊趣味的主张，但是这种整册的论著却不再写了。话虽如此，到底夏目是文人学者两种气质兼备的人，从他一生工作上看来似乎以创作为主，这两种论著只是一时职业上的成绩，然而说这是代表他学术方面的恰好著作，亦未始不可，不但如此，正因他有着创作天才，所以更使得这些讲义处处发现精彩的意见与文章。《文学评论》从前我甚爱好，觉得这博取约说，平易切实的说法，实在是给本国学生讲外国文学的极好方法，小泉八云的讲义仿佛有相似处，不过小泉的老婆心似乎有时不免唠叨一点罢了。我又感到这书不知怎地有点与安特路阑（Andrew Lang）的英国文学史相联，觉得这三位作者颇有近似之点，其特别脾气如略喜浪漫等也都是有的。《文学论》出版时我就买了一册，可是说起来惭愧得很，至今还不曾好好地细读一遍，虽然他的自序读了还记得颇清楚。夏目说明他写此书的目的是要知道文学到底是什么东西，因为他觉得现代的所谓文学与东洋的即以中国古来思想为根据的所谓文学完全不是一样。他说：

余乃蛰居寓中，将一切文学书收诸箱底，余相信读文学书以求知文学为何物，是犹以血洗血的手段而已。余誓欲心理地考察文学以有何必要而生于此世，而发达，而颓废，余誓欲社会地究明文学以有何必要而存在，而隆兴，而衰灭也。

他以这样的大誓愿而起手研究，其一部分的结果即是《文学论》。我平常觉得读文学书好像喝茶，讲文学的原理则是茶的研究。茶味究竟如何只得从茶碗里去求，但是关于茶的种种研究，如植物学地讲茶树，化学地讲茶精或其作用，都是不可少的事，很有益于茶的理解的。夏目的《文学论》或者可以说是茶的化学之类罢。中国近来对于文学的理论方面似很注重，张君将这部名著译成汉文，这劳力是很值得感谢的，而况又是夏目的著作，故予虽于文学少所知，亦乐为之序也。

民国二十年六月十八日，于北平之苦雨斋。

《修辞学》序

提起修辞学来，就令我想到古代的智士（Sophistēs）。修辞学这名称，我想是从西[1]方传入中国的，本来是勒妥列克（Rhetoric）的译名，而原文又是 rhētorikē tekhnē 之略，此言辩士的技术也。后来希腊以至罗马的辩士有些都是堂堂的人物，用新名词来说就是些大律师和政治家，但是当初的辩学大师却多是智士，所以这种本领可以称为雄辩，有时又仿佛可以叫做诡辩，这固然是由于我的有些缠夹，而散步学派（Per'patētiko）因为这些辩士非爱智之士，也总难免有点轻视，那又可以算是我的缠夹的一个原因了。

可是，散步学派虽然对于辩士不大重视，对于他的技术却是重视的。爱智者唯重真理与公道，而发挥此真理与公道又不可不恃文字言语，则其术亦甚切要，犹因明之于佛教焉，故散步学派亦自有辩学（实在，辩士应称说士，此应称演说术）之著作，至其著者即是大师亚里士多德。

亚氏之书区为三分，首分可以说是名学的，关于说者，次分是心理的，关于听众，末分是文学的，关于所说，即后世修辞学之始基。其后德阿弗拉斯妥思、特默忒留斯等相继有所著述，由罗马而入欧洲，虽代有变化，流传不绝，至今读修辞学者不敢忘散步学派哲人，于智士诸子亦不能不加以怀念也。

亚氏书中首分区别所说为三类，一政治的，二法律的，三临时的，是也。基督前五世纪中，希腊政体变为民主，公民在议会和法庭上的活动渐以增加，前两类的演说遂很重要，而临时尚有一种臧否人物，如送葬演说之类的东西，即所谓 epideiktikoi logoi，此言显扬的演说，其性质较广，故文学的意味亦较多。此三者皆系口述，唯名作传诵，家法习作，影响至大，其时历史而外实唯此为散文之大宗，其措词结构之法遂沿为散文的准则了。

在中国的情形就全不相同。中国人向来是没有谈国事的自由的，除非是宣讲圣谕，上条陈，在衙门则等候老爷的判决，希腊首二类的文章在中国就变了相，成为陆宣公奏议和樊山判牍了。第三类似乎还多一点，史论传赞墓志，门类繁多，也多少有些文学的意味，然而都是写而不是说的，不，也并不是预备或模拟说的，这便与希腊以及欧洲是一个极大不同。加之文人学士多缺乏分析的头脑，所以中国没有文法，也没有名学，没有修辞学，也没有文学批评。

关于《文心雕龙》等的比较研究，郭绍虞先生在序文里很精要地说过了，我不能再说什么，现在只是想说明中国没有欧洲的所谓修辞学，要知道这种修辞学不得不往西洋那方面去找罢了。

介白在平津各校教书，感于修辞学教本之缺乏，根据教学的经验与知识，编成这一本书，将交书店印行，叫我写一篇序。我很喜欢有这简明切实的新修辞学出世，很愿意写，但是在这方面所知有限，只能写下这几句平凡的话，聊以塞责而已。

中华民国二十年七月七日，于北平苦雨斋，时正大雨也。

【锺校】

①“西”原作“东”。

《英吉利谣俗》序

听说几位在上海的朋友近来正在讨论“学问”的问题，最近所发表的主张是学问无用论，这使我颇有点儿狼狈。难道我会觉得自己存着些什么“学问”，怕要变成无用么？当然不是的。我所以感到狼狈的是我现在要写一本书的序，而这本书所讲的似乎是一种学问。

这是绍原所译的《英吉利谣俗》，原名叫做*English Folklore*，普通就称作“英国民俗”。民俗是民俗学的资料，所以这是属于民俗学范围的一本书。民俗学——这是否能成为独立的一门学问，似乎本来就有点问题，其中所包含的三大部门，现今好做的只是搜集排比这些工作，等到论究其意义，归结到一种学说的时候，便侵入别的学科的范围，如信仰之于宗教学，习惯之于社会学，歌谣故事之于文学史等是也。民俗学的长处在于总集这些东西而同样地治理之，比各别的隔离的研究当更合理而且有效，譬如民俗学地治理歌谣故事，我觉得要比较普通那种文学史的——不自承认属于人类学或文化科学的那种文学史的研究更为正确，虽然歌谣故事的研究当然是应归文学史的范围，不过这该是人类学的一部之文学史罢了。民俗学的价值是无可疑的，但是他之能否成为一种专门之学则颇有人怀疑，所以将来或真要降格，改称为民俗志，也未可知罢。

即使还是一种学，然而他是有用的么，这又是一个问题。民俗学的特质如何，这要等专家来说，我不能乱道，但我想总多少与文化人类学相近罢？他就一民族或一地方搜集其信仰习惯谣谚，以上古及蛮荒的材料比较参考，明了其意义及发生分布之迹，如此而已，更无什么别的志愿目的。他未必要来证明先人之怎么近于禽兽，也未必要来预言后人之怎么可为圣贤。他只是说明现在怎么一回事罢咧，问这有什么用，实在不大说得出来。假如一定要追问下去，我恐怕这用处有点不大妙，虽然用处或者可以勉强找到一点。据英国弗来则博士说，现代文明国的民俗大都即是古代蛮风之遗留，也即是现今野蛮风俗的变相，因为大多数的文明衣冠的人物在心里还依旧是个野蛮。他说：

在文明国里最有教育的人，平常几乎不知道

> 有多少这样野蛮的遗风馀留在他的门口。到了上世纪这才有人发见，特别因了德国格林兄弟的努力。自此以后就欧洲农民阶级进行统系的研究，遂发见惊人的事实，各文明国的一部分的人民，其智力仍在野蛮状态之中，即文化社会的表面已为迷信所毁坏。

这意见岂不近于反动了么？我想这或者也不足怪，因为“事实与科学决不是怎样乐观的”。浪漫时代的需要假如是梦想与信仰，那么这当求之于诗人与宗教家，这是别一个方面。固然我也曾听说有理学者以物理学证明王之必要与神的存在，但是在人类的实录上却只能看出王或有或无，神或死或活这种情形而已。他的无用在此，不过据我看来，他的可贵也就在此罢。

因为不是弄学问的，关于民俗学我的意思就只有这一点，有些还是从别人的文章里看来的，对于绍原所译的书什么都没有说到。这也没有什么妨碍，原书在这里，加上绍原高明的译注，读者自能明了其价值与意义。本来绍原叫我做序，可谓问道于盲，未免将为黑齿国女学生所笑，而我之做序更如万松老人所说，正是“哑人作通事”，指似向人，吐露不出，已经写了千馀言，也就可以随手“带住”了罢。

民国二十年七月九日，于北平。

《蒙古故事集》序

提到《一千一夜》，有谁不感到喜欢和叹异的呢？我没有能够买理查伯顿（Richard Burton）的英译全本，但小时候读过伦敦纽恩士（Newnes）公司发行三先令半的插画本《天方夜谈》以及会稽金石先生的四册汉译本，至今还约略记得，亚利巴巴与四十个强盗，水手辛八，以及交递传述的那种故事形式。“当时这一本书不但在我是一种惊异，便是丢掉了字典在船上供职的老同学见了也以为得未曾有，借去传观，后来不知落在什么人手里，没有法追寻，想来即使不失落也当看破了。”这是我那册英译本的末路，但也就是它的光荣。《一千一夜》在十八世纪初才进欧洲去，在文学上发生了不少影响，到中国来还没有三十年，我却相信它与中国文艺也有很大的关系。这当然不是说直接的影响，中国文化里本来有回教的分子，即如向来不绝如缕的浴堂的美风即其一例，所以这些故事在中国有一种声气相同的地方，比较研究上也很有用处。

印度的故事与中国之影响自然要更深了，只可惜还少有人注意。佛经的文章与思想在六朝以后的文学上留下很明了的痕迹，许多譬喻和本生本行的事迹原是民间故事，经佛教徒的采用而得以传译成华言，为中国小说之一来源，而最重要者似为《起世因本经》等所说的死后生活的思想。中国古代民间的宗教思想当然也应注重死后的生活，但不知怎地文献上留得很少，秦汉以来的方士仿佛是为应制起见，把平民的阴间思想删除，专讲贵族的长生思想，这至少总已不是民族信仰的全体了。后出的《玉历钞传》虽然时代大约颇近，却似乎可以算作这样信仰的一本大纲。这里边阴司的组织是沿用道教的帝制，但其地狱刑罚等等则以小乘佛经所说为本，所以即说中国民间思想是佛教的亦不为过。假如说大乘才是真佛教，那么小乘的就说是婆罗门的改组派也罢，不过因此使我们更感到中国与印度的关系的密切，觉得婆罗门的印度文化的研究在中国也是很切要的了。许地山先生在所译《孟加拉民间故事》的序文中，说明他译述的第一个动机是“因为我对民俗学底研究很有兴趣，每觉得中国有许多故事是从印度展转流入底，多译些印度的故事，对于研究中国民俗学必定很有帮助”。这实在是说的很对，我希望许先生能够继续地做这种有益的工作。

说到蒙古，我恐怕有些人会要大发其思古之幽情，因为它在元朝不但吞并了中国，还能侵略到欧洲去，所以是一件荣誉罢。在学艺的立场上看来，这些过去的恩怨我想可以不管，但总之是几百年来拉拉扯扯地在一起，文化上必然相互地发生许多影响，就是西夏鲜卑以至三苗，都是如此，如有机缘都值得注意研究。可是蒙古虽然是我们五族之一，蒙古的研究还未兴盛，蒙古语也未列入国立各大学的课程内，在这时候有柏烈伟（S. A. Polevoi）先生编译《蒙古故事集》出版，的确不可不说是空谷足音了。柏烈伟先生研究东方语言，在北京大学俄文学系教书多年，是那位《俄国童话集》的编者历史考古学家柏烈伟教授的族人，这回[①]根据蒙古文俄文各本，译成汉文，为故事集二卷，供献于中国学术界，实在是很有意义的事。蒙古民族自有他自己的特色，与汉族颇有不同，他的故事虽然没有那么浓厚华丽，似乎比较与天方相近，而且有些交递传述的形式也很有《一千一夜》的遗意，这是中国故事里所少见的。我们虽不能相信，如斋耳兹（H. A. Giles）教授在《中国文学史》上所说，中国章回小说的发达全是受元朝传来的中央亚细亚说书的影响，这些说故事的方法与情状，离开了故事的内容来看，也总是很好的比较的资料。将来有人能够把满洲西藏以至苗族的故事传说编译出来，那时中国民俗学的研究当大有进步，但是论功行赏，还是柏烈伟先生之揭竿而起应当算是第一功也。

以上是些外行地谈学问的废话，老实说，我还是对于里边的故事可以诚实地批评一句：这是很好的故事，读了很好玩，谨介绍给中国的老小的朋友。

中华民国十九年六月一日，于北平。

【锺校】

①“回”原作“个”。

《朝鲜童话集》序

一

九月下旬听说半农搬了房子，是严幾道的旧居，我便跑去一看，承半农领了我去看他很好的客室，书斋，以及花园假山之后，再回到客室来喝茶，他拿出一包原稿，先叫我看，再叫我做序。虽然我刚在看《日知录》，“人之患在好为人序”这句话还热辣辣地记在心里，而且也实实在在地觉得序之难做，但是我立即答应了，因为老朋友的命令不好违背，半农的书要我做序我总肯做，只要书里边所说是我有点懂的。

这回的书却不是半农自己的，乃是他的大女公子从法文译出的一本朝鲜童话集。对于故事歌谣我本来也有点儿喜欢，不过最初的兴趣是在民俗学的一方面，因为那时我所读的三字经是两本安特路阑所著的《神话仪式与宗教》，不免受了他的许多影响。近来在文学史的一方面感到一点兴趣，觉得这是文学的前史时期的残存物，多少可以供我们作想像的依据。我在

《冰雪小品选序》上说过：

> 我想古今文艺的变迁曾有两个大时期，一是集团的，一是个人的，普通文学史上所记大都是后期的事，但有些上代的遗留如歌谣等，也还能借以推知前期的面影的百一。在美术上便比较地看得明白，绘画完全个人化了，雕塑也稍有变动，至于建筑，音乐，美术工艺如瓷器等，都保存着原始的迹象，还是民族的集团的而非个人的艺术，所寻求表示的也是传统的而非独创的美。

民间师徒传授的制度最能保存此类民族的艺术之精神，学子第一要销除其个性，渐自汩[1]没于种性之中，一旦豁然贯通，便若有神凭依，点画刻镂，丹黄渲染，挥洒自如，如扶乩笔，虽出一手，而饫众心，盖其一笔一色之间实涵有千百年传统的力焉。耳口相传的艺术其流动性自然较多，但是其成分与形式总还有一种轨范，虽然一件艺术品未必能如浪漫的想像那样可以是一个群众或委员会的出产，总之是经过他们的试验与鉴可，有如秀才们的考试一般。所以，歌谣故事在当作文学看之后，有不少的文学史的意义，因为正如英国麦加洛克主教所说，童话正是“小说之童年”，而歌谣也实在有些是诗的祖母，有些虽然也是诗的孙女。

现在讲到朝鲜的童话，这却使我有点困难，没有多少话可以说，我觉得对于朝鲜是那么的生疏。六年前偶然从三轮环编的《传说之朝鲜》中转译了几篇故事，登在《语丝》上边，附识中说过这几句话：

> 无论朝鲜是否箕子之后，也不管他以前是藩属不藩属，就他的地位历史讲来，介在中日之间传递两国的文化，是研究亚东文明的人所不应忽视的。我们知道日本学于本国文化研究上可供给不少帮助，同时也应知道朝鲜所能给予的未必会少于日本。

关于朝鲜的艺术，我的知识只有李朝瓷器的一点，还是从柳宗悦氏的书里间接得来的，而且瓷器又是很不好懂的一样东西，但是我理论地推重朝鲜艺术与其研究的价值，毫不改变从前的意见。这种意见我知道难免有点失之迂阔，有点近于“大亚细亚主义”，或者又不合现今的实际。但是这有什么办法呢，两者都是事实，只好都承认罢了。中日韩的文化关系是久矣夫的事情了，中日韩的外交纠葛却也并不很近。清末章太炎先生亡命日本东京，常为日本人书《孟子》一段曰，“逢蒙学射于羿，尽羿之道，思天下惟羿为愈己，于是杀羿”，可以说是中国知识阶级对于日本的最普通的感想，正如新希腊人之对于西欧的列强一样。诗人摆伦曾经为了希腊独立战争不惜自己的身命，勃阑特思博士数年前在所著《希腊》一书中深悼古国之衰颓，归罪于英法二国的阴谋，然而于事何济，事实上希腊还是在半属国的状态，此不过表示天壤间尚有识者，不肯否认其文化上之负债，与一般古典学者共尽其涓埃之力而已。埃及亚剌伯印度希腊中国，都有同一的使命与运命，似乎不是新奇的偶然。日本之于德意志可以说是有杀羿的意味，对于中国仿佛只是暴发人家子弟捣毁多年的饼师老铺，这里发卖的糖烧饼虽然也会吃坏了胃，养成痞积，但一方面得到的滋养原来也当不少罢。捣毁饼店是一事实，暴发子弟与饼师的关系也是一事实，在人智未进的现在两账只能分算，虽然这样办已经不是很容易的事。在平壤仁川沈阳锦州大暴动之后，来检点日韩的艺术文化，加以了解与赏识，这在热血的青年们恐怕有点难能亦未可知，但是我想这是我们所应当努力的。

这册《朝鲜童话集》内共二十篇，都是很有意思的故事，给儿童看可以消遣，大人看了可以从其中得好些研究比较的资料。据半农说原本是俄人编述的，后来译成法文，这回由刘育厚女士以她在巴黎本场学来的法文及家学渊源的汉文，把它译出，又经过半农的校订，译文的善美是我觉得可以保证的。但是我看了此书，不免发生感慨，想起十三四年前到西板桥大街去看半农的时候，这位小惠姑娘实在还小得很哩，恐怕兴趣还只在吃糖，虽然现在或者也还可以有这兴趣，但总之已大有改变，如这译述即是其一，这仿佛只是几睒眼的中间的事，那么我们老辈又怎么能不老朽呢？半农虽没有长什么胡子，英气也始终不衰，年纪却总和我一样地增加了，回过头去看看，后生可畏原也是可喜，但对于我们自己却不能不有尚须努力之感焉耳。

民国二十年十月二十日，于北平苦雨斋。

【鄢校】

①“汩”原作“汨”。

重刊《霓裳续谱》序

章衣萍君来信云拟重刊《霓裳续谱》，嘱写小序，已经有半年多了，我答应了，却老是写不出，这里自然可以有好些口实，但是最重要的是我自己对于民歌的意见有点动摇，不，或者不如说是转变了。我从前对于民歌的价值是极端的信仰与尊重，现在虽然不曾轻视，但有点儿怀疑了，假如序文必须是拥护的或喝采的，那么我恐怕实在已经是失去做序的资格了。可是话虽如此，日前的成约却总难以取消，所以还只好来写，即使是在戏台里叫的是倒好也罢。

我最初知道《霓裳续谱》是听常维钧君说的，我所有的一部也是承他替我代买来的，仔细想起来似乎连书价也还没有还他，这已经是五六年前的事了。那时大家热心于采集歌[1]谣，见了这种集子，心里非常快活，因为一则得到歌谣比较研究的资料，二则发见采集事业的伴侣，所以特别感着一种浪漫的珍重。不久郑振铎君的《白雪遗音选》也出来了，我们知道这类名著已有了两种，《霓裳》成于一七九五，《白雪》成于一八〇四，相差只有九年，《霓裳》序上说明所集的大都是北京像姑们所唱的小调，《白雪》因为选本很可惜地没有抄录原序，关于地方和性质等不能知悉。而且郑选本又声明有些猥亵的情歌不能收入，仿佛更觉得有点缺陷，及至汪静之君的《续选》出现，两集共选三百四十多首，已及全书之半，里边的精华差不多可以说是都在这里了。我把《白雪遗音选》正续编看了一遍，又将《霓裳续谱》找出来一翻之后，好像有魔鬼诱惑似地有一缕不虔敬的怀疑之黑云慢慢地在心里飘扬起来，慢慢地结成形体，成为英国好立得教授（W. R. Halliday）在所著《民俗研究》序上的一句话："欧洲民间故事的研究，主要地，虽非全然地，是一个文学史上的研究。"别的且不管，总之在中国的民歌研究上，这句话即使不能奉为规律，也是极应注意的，特别是在对付文献上的材料的时候。这个疑心既然起来，我以前对于这些民谣所感觉的浪漫的美不免要走动了，然而她们的真与其真的美或者因此可以看见一点，那也是说不定的。

美国庚弥耳教授（F. B. Gummere）论英国叙事的民歌，力主集团的起源说，那种活灵活现的说法固然不很能佩服，但是以这种民歌为最古的诗，而且认为是纯粹民间的创作，我以前原是赞同的。回过头来看中国笔录的民歌集如上述二书，却感到有些不同，似乎纯粹的程度更差得多，证以好立得的话尤为显然。好立得对于英国叙事的民歌之价值且很怀疑，在论现代希腊的赞美歌的序文里说（*Folklore Studies*，*Preface* x-xiii）：

> 我的结论是，说民俗中的遗迹是无年代地久远这种假说，十中之九是无根据的。我在《民俗学杂志》三十四卷曾经说过，此后有机会时还想详细申言，我相信欧洲民间故事的研究，主要地虽非全然地，是一个文学史上的研究。……却耳得教授的《英苏叙事民歌》的大著也指示出同一的方向。民间文学，民间歌谣与风习的大部分的确是由遗迹合成，但这大都是前代高级社会的文学与学问之遗迹而不是民众自己的创造。
>
> 我并不想和安诺德一同吃亏，他得到克耳（W. P. Ker）的非难，因为他诽谤叙事民歌的杰作，并且从民众诗神的最坏的作品里不公平地选出例子来证明他的批评。但同时我相信，我们如用了绝对的诗的标准来看，民间诗歌之美的价值总是被计算得过高，或者大抵由于感情作用的缘

故。人家忘记了这件事，有些杰作乃是偶然而且希有的，这多么少而且难，只要通读却耳得的一卷，即可使没有成见的人完全相信。现代希腊民歌之过被称赞亦不下于别国的叙事民歌。这里边确有一两篇很好的浪漫的诗，有些叙山寨生活的诗也有好的动人的情节，但是，像一切民间艺术一样，无论这是文学是锦绣或是什么，总括看来总禁不起仔细的审察。

据我所知道，民间的讲故事或说书都是很是因袭的技艺。这里边的新奇大抵在于陈旧的事件或陈旧的诗句之重排改造。这好像是用了儿童的积木玩具搭房屋。那些重排改造平常又并不是故意的，却是由于疏忽，所谓联想这非论理的心理作用常引起一件事情或一句成语，这照理本来都属别处的。……民间诗歌的即兴，在我所见到的说来，同样地全在于将因袭的陈言很巧妙地接合起来，这与真诗人的真创作来比较，正如我们早年照了《诗学梯阶》（*Gradus ad Parnassum*②）而诌出来的一样，相去很远。要证明通行的曲说，说一件大艺术品可以是一个群众或委员会的出产品，这是心理学地困难的事，至于真有价值的民间文艺品之集团的撰作说，干脆地说来，那在我看来简直是梦话罢了。

好立得的话或者在许多人要听了不喜欢，这个暂且不管，只是引用一部分来考察刚才所说的民歌集，我相信是很有好些用处的。《霓裳》《白雪》的诗我恐怕她的来源不在桑间濮上，而是花间草堂，不，或者且说太平阳春之间罢。《霓裳续谱》编者王楷堂的序里也曾说起：

余窃惟汉魏以来，由乐府变为歌行，由歌行变为词曲，欧苏辛柳而外，花间得其韵，实甫得其情，竹坞得其清华，草堂得其朴茂，逮近代之临川文长云亭天石笠翁悔庵诸公，缘情刻羽，皆足鬯其喜怒哀乐之怀，其词精警，其趣悠长。

这并不是书呆子妄发不相干的议论，来填凑序文，实在是他感觉到这个渊源，不过他还不能切实地知道，这些“优伶口技之馀”老实不客气地乃即是这赫赫世家的末流而已。我猜想集中诗歌的来源可以有两类。其一是文人的作品，其中又有真的好诗，不过当然极少，不知有无百分之一，以及巧妙地或不巧妙地将陈言重排而成的韵文。其二是优伶自己的作品，其中也可以分类如上文。至于是否含有确由集团创造，直表民众真心的作品在内，那是我所不能知道的事。本来文人与优伶也何尝不是民众呢，但他们到底还是个人，而且文人的思想为士大夫阶级所限，优伶不准应试，而其思想却也逃不出士大夫阶级的羁绊，到了文字方面尤甚，所以文人的与优伶的文学差不多就无分别，都成为某一种的因袭了。我以前觉得中国自大元帅以至于庶人几乎人生观全是一致，很以为奇，随后看出这人生观全是士大夫阶级的（恐与西洋的所谓布耳乔亚有殊，故恕不引用新名词），而一样地通行于农工商，又极以为怪，现在这才明白了，原来就是这么一回事，中国民众就一直沿用上一阶级的思想，并保留一点前一时期的遗迹。

这个问题怕得拉开去，我现在只在民歌——前代集录的两部民歌上来看，很感到上面所述的情形之的确。可是，说到这里话又已脱了线，因为这又拉了民歌去说明社会情形，而我的本意只想就文学范围来谈谈罢了。据我现在的意见，这类民歌集，即举《霓裳续谱》为例，我们第一要紧是当作文学去研究或赏鉴，不要离开了文学史的根据而过分地估价，特别是凭了一时的感情作用。我把她认作小令套数的支流之通俗化，便是把她从诗歌的祖母这把高椅子上拉了下来，硬派作词曲的孙女儿，坐在小杌子上，我晓得一定有人很不满意，或认为反动的议论亦未可知，不过我相信在她文辞情意的因袭上很有明显的形迹可见，只要请精通词曲小令的人细加考校当可知其真相，我不过是一名苦力小工，把地面耙平一点，至于正式的建筑，我还得伫俟这方面的专家的明教。从前创造社的一位先生说过，中国近来的新文学运动等等都只是浪漫主义的发挥，歌谣研究亦是其一，大家当时大为民众民族等观念所陶醉，故对于这一面的东西以感情作用而竭力表扬，或因反抗旧说而反拨地发挥，一切估价就自然难免有些过当，不过这在过程上恐怕也是不得已的事，或者可以说是当然的初步，到了现在却似乎应该更进一步，多少加重一点客观的态度，冷静地来探讨或赏玩这些事情了。

我在上边把《霓裳续谱》说了一大套，仿佛真是替衣萍在台房里倒喝彩似的，其实自然不是，我只说明这类民歌不真是民众的创作，她的次序不是在文学史之首而是其末，至于其固有的价值原不因此而有所减却，这是我所要声明的。《霓裳续谱》出版在《白雪遗音》之前，虽然现在还没有那么名贵，但也总是不甚易得了，衣萍这回加以整理，重刊行世，确是很有意义的一件事。这集子里颇有不少的好诗，可以和《白雪》比较，其次这些都是北京像姑[3]们所唱的小曲，而其歌词又似多出文人手笔，其名字虽无可考，很令人想起旗亭画壁时的风俗，假如有人搜集这类材料，作文学史的研究，考察诗歌与倡优的关系，也是很有价值的工作，其重要或未必下于年号氏族等的研究欤。

十九年十月十四日，于北平。

【鄢校】

①“歌”原作“欧”，下同。

【锺校】

②“Gradus ad Parnassum”原作“Gradus and Parnassum”。

③此处原衍“娘”字，已删。

《冰雪小品选》序

启无编选明清时代的小品文为一集，叫我写一篇序或跋，我答应了他，已将有半年了。我们预约在暑假中缴卷，那时我想，离暑假还远，再者到了暑假也还有七十天闲暇，不愁没有工夫，末了是反正不管序跋，随意乱说几句即得，不必问切不切题，因此便贸贸然地答应下来了。到了现在鼻加答儿好了之后，仔细一算已过了九月十九，听因百说启无已经回到天津，而平伯的跋也在“草”上登了出来，乃不禁大着其忙，急急地来构思作文。本来颇想从平伯的跋里去发见一点提示，可以拿来发挥一番，较为省力，可是读后只觉得有许多很好的话都被平伯说了去，很有点儿怨平伯之先说，也恨自己之为什么不先做序，不把这些话早截留了，实是可惜之至。不过，这还有什么办法呢？只好硬了头皮自己来想罢，然而机会还是不肯放弃，我在平伯的跋里找到了这一句话，——“小品文的不幸无异是中国文坛上的一种不幸”做了根据，预备说几句，虽然这些当然是我个人负责。

我要说的话干脆就是，启无的这个工作是很有意思的，但难得受人家的理解和报酬。为什么呢？因为小品文是文艺的少子，年纪顶幼小的老头儿子。文艺的发生次序大抵是先韵文，次散文，韵文之中又是先叙事抒情，次说理，散文则是先叙事，次说理，最后才是抒情。借了希腊文学来做例，一方面是史诗和戏剧，抒情诗，格言诗，一方面是历史和小说，哲学，——小品文，这在希腊文学盛时实在还没有发达，虽然那些哲人（Sophistai）似乎有这一点气味，不过他们还是思想家，有如中国的诸子，只是勉强去仰攀一个渊源，直到基督纪元后希罗文学时代才可以说真是起头了，正如中国要在晋文里才能看出小品文的色彩来一样。我卤莽地说一句，小品文是文学发达的极致，它的兴盛必须在王纲解纽的时代。未来的事情，因为我到底不是问星处，不能知道，至于过去的史迹却还有点可以查考。我想古今文艺的变迁曾有两个大时期，一是集团的，一是个人的，在文学史上所记大都是后期的事，但有些上代的遗留如歌谣等，也还能推想前期的文艺的百一。在美术上便比较地看得明白，绘画完全个人化了，雕塑也稍有变动，至于建筑，音乐，美术工艺如瓷器等，却都保存原始的迹象，还是民族的集团的而非个人的艺术，所寻求表示的也是传统的而非独创的美。在未脱离集团的精神之时代，硬想打破它的传统，又不能建立个性，其结果往往青黄不接，呈出丑态，固然不好，如以现今的瓷器之制作绘画与古时相较，即可明了，但如颠倒过来叫个人的艺术复归于集团的，也不是很对的事。对不对是别一件事，与有没有是不相干的，所以这两种情形直到现在还是并存，不，或者是对峙着。集团的美术之根据最初在于民族性的嗜好，随后变为师门的传授，遂由硬化而生停滞，其价值几乎只存在技术一点上了。文学则更为不幸，授业的师傅让位于护法的君师，于是集团的“文以载道”与个人的“诗言志”两种口号成了敌对，在文学进了后期以后，这新旧势力还永远相搏，酿成[1]了过去的许多五花八门的文学运动。在朝廷强盛，政教统一的时代，载道主义一定占势力，文学大盛，统是平伯所谓“大的高的正的”，可是又就“差不多总是一堆垃圾，读之昏昏欲睡”的东西。一到了颓废时代，皇帝祖师等等要人没有多大力量了，处士横议，百家争鸣，正统家大叹其人心不古，可是我们觉得有许多新思想好文章都在这个时代发生，这自然因为我们是诗言志派的。小品文则在个人的文学之尖端，是言志的散文，它集合叙事说理抒情的分子，都浸在自己的性情里，用了适宜的手法调理起来，所以是近代文学的一个潮头，它站在前头，假如碰了壁时自然也首先碰壁。因为这个缘故，启无选集前代的小品文，给学子当作明灯，可以照见来源去路，不但是在自己很有趣味，也是对于别人很有利益的事情。不过在载道派看来这实在是左道旁门，殊堪痛恨，启无的这本文选其能免于覆瓿之厄乎，未可知也。但总之也没有什么关系。是为序。

中华民国十九年九月二十一日，于北平煅药庐。

【锺校】

①原无“成”字，今增。

《枣》和《桥》的序

最初废名君的《竹林的故事》刊行的时候，我写过一篇序，随后《桃园》出版，我又给他写了一篇跋。现在这《枣》和《桥》两部书又要印好了，我觉得似乎不得不再来写一篇小文，——为什么呢？也没有什么理由，只是想借此做点文章，并未规定替废名君包写序文，而且实在也没有多少意思要说，又因为太懒，所以只预备写一篇短序，给两部书去合用罢了。

废名君的小说，差不多每篇我都是读过了的。这些长短篇陆续在报章杂志上发表，我陆续读过，但也陆续地大都忘记了。读小说看故事，从前是有过的，有如看电影，近来不大热心了。讲派别，论主义，有一时也觉得很重要，但是如禅和子们所说，依旧眼在眉毛下，日光之下并无新事，归根结蒂，赤口白舌，都是多事。分别作品①中的人物，穿凿著者的思想，不久前[2]还是喜欢做，即如《桃园》跋中尚未能免，可是想起来煞是可笑，口口声声称赞“不知为不知”的古训，结局何曾受用得一毫一分。俗语云，“吃过肚饥，话过忘记”，读过也就忘记，原是莫怪莫怪。然而忘记之馀却也并不是没有记得的东西，这就是记得为记得，似乎比较地是忠实可靠的了。我读过废名君这些小说所未忘记的是这里边的文章。如有人批评我说是买椟还珠，我也可以承认，聊以息事宁人，但是容我诚实地说，我觉得废名君的著作在现代中国小说界有他独特的价值者，其第一的原因是其文章之美。

关于文章之美的话，我前在《桃园》跋里已曾说及，现在的意思却略有不同。废名君用了他简炼的文章写所独有的意境，固然是很可喜，再从近来文体的变迁上着眼看去，更觉得有意义。废名君的文章近一二年来很被人称为晦涩。据友人在河北某女校询问学生的结果，废名君的文章是第一名的难懂，而第二名乃是平伯。本来晦涩的原因普通有两种，即是思想之深奥或混乱，但也可以由于文体之简洁或奇僻生辣，我想现今所说的便是属于这一方面。在这里我不禁想起明季的竟陵派来。当时前后七子专门做假古董，文学界上当然生了反动，这就是公安派的新文学运动。

依照文学发达[3]的原则，正如袁中郎自己所预言：

> 夫法因于敝而成于过者也：矫六朝骈丽饤饾之习者以流丽胜，饤饾者固流丽之因也，然其过在轻纤，盛唐诸人以阔大矫之；已阔矣，又因阔而生莽，是故续盛唐者以情实矫之；已实矣，又因实而生俚，是故续中唐者以奇僻矫之。

公安派的流丽遂亦不得不继以竟陵派的奇僻，我们读三袁和谭元春刘侗的文章，时时感到这种消息，令人慨然。公安与竟陵同是反拟古的文学，形似相反而实相成，观于张宗子辈之融和二者以成更为完美的文章可以知之，但是其间变迁之故却是很可思的。民国的新文学差不多即是公安派复兴，唯其所吸收的外来影响不止佛教而为现代文明，故其变化较丰富，然其文学之以流丽取胜初无二致，至"其过在轻纤"，盖亦同样地不能免焉。现代的文学悉本于"诗言志"的主张，所谓"信腕信口皆成律度"的标准原是一样，但庸熟之极不能不趋于变，简洁生辣的文章之兴起，正是当然的事，我们再看诗坛上那种"豆腐干"式的诗体如何盛行，可以知道大势所趋了。诗的事情我不知道，散文的这个趋势我以为是很对的，同是新文学而公安之后继以竟陵，犹言志派新文学之后总有载道派的反动，此正是运命的必然，无所逃于天壤之间。进化论后笃生尼采，有人悦服其超人说而成诸领袖，我乃只保守其世事轮回的落伍意见，岂不冤哉。

废名君近作《莫须有先生传》，似与我所说的话更相近一点，但是等他那部书将要出版，我再来做序时，我的说话又得从头去另找了。

二十年七月五日，于北平。

【锺校】

①原无“品”字，今增。

②原无“前”字，今增。

【鄢校】

③“达”原作“逵”。

《战中人》译本序

战争在近代文学上的影响很是显著，俄土之役俄国有托尔斯泰、伽尔洵，日俄之役有安特来夫、威勒塞耶夫，欧洲大战有法之巴比塞，匈之拉兹科，德之雷玛克等，都是非战文学的大作，而日本在日俄战役之后乃有樱井忠温，在《肉弹》等书本中大发挥其好战的精神焉，——如正确地说这是并非文学，那么现代日本可以说别无任何的战争文学了。

说到中国，中国文学里的非战的气味从古以来似乎是颇浓厚的，小说戏曲不发达，但从诗文上看去也可以明白。只读过《古文观止》和《唐诗三百首》的也总还记得杜甫、白居易、陈陶、李华诸人的句子，关于战争大抵有一种暗淡的印象，虽然这于戍边的人似乎不大相宜，不过反对元首的好大喜功，不愿意做军阀资本家的牺牲，这原是极好的意思。但是，后来不知怎地有点变了，我想这未必因为后来中国不打仗，大约还是国民不当兵了的缘故罢？“好男不当兵”成了事实之后，文学也随之而起变化，从前所写是兵役之苦，现在一转而为兵火之惨，我说有点变，实在乃是大变，换句话说，简直是翻了个身，天翻而地覆了也。

中国的兵在什么时候改征发为招募，这个我不大明了，总之这是一件大事情，与国计民生有重大的关系，那是无疑的。我们知道，无论怎样有教化的民族，一当了兵，拿了武器，到了敌地，总不会怎么文明的，我们不能想像中国古时的征兵的如何比募的好，但募的总要比征的不好，这事似可想像得到。好男不当兵，此其一。有职业的，安分的，怕死的，都不愿干这个勾当，那么只有和这些相反的人才来投效，原来质地便不纯善。招募即是佣雇，完全是经济关系，所以利润多少成为中心问题，一方面考量劳力与工资的比例，有时觉得不值得拚命，一方面如见到有额外利益可得，自然也就难免出手，此其二。有这几种原因，其鱼肉人民可以说是难怪的，即使不是当然。清末洪杨的时候，老百姓视“花绿头”与长毛同类，有时或更过之，有贼过如梳兵过如篦之说。明末谢在杭的《文海披沙》中云，“贼本乌合，而复藉召募无赖之兵击之，是以贼驱贼也，故寇虽平必困于军士之掳掠”，亦慨乎其言之。就现在来说，冯焕章先生的军队从前驻在北京的时候名誉很好，因为兵士的袖子上有一个圆的标识，上书“不扰民”而能实行不扰，故市民歌颂为世希有。呜呼，即此可见募兵之能与人民相安为如何不易得了。

老是说中国的募兵不好，恐或为爱国家所不喜听，或者不如且找外国的来讲讲也好。但是不幸，我仿佛听说现在——至少在国联的十四国之中用募兵的除中国以外再没有第二国了。这颇有点使我为难，可是幸而我还记得欧洲中世纪时有过什么康陀帖厄里(Condottieri)，多少找到些材料。据说康陀帖厄里即一种兵卒受了佣雇替人家打仗的，十四世纪时义大利贵族多雇用英国浪人，到了十五世纪后都是义国流氓充当了，其职业在打仗，不打时随便劫掠乡村为生，有些头领也找机会寻出路，如斯福耳札由此做到密阑公爵。“因为他们对于所参与的战争没有利害关系，他们的目的并不在解决而反在延长这战事，所以他们多行军，少打真仗，借以敷衍，又时常变换主顾，图得更多的报酬。”这是见于书上的，说的是义大利四五百年前的事，与中国未必相合，总之可以当作参考。他的第一教训是这用于内战很是适宜。但是书上又接续说道：“这战争完全堕落成为一种喜剧，不久就为从岭外侵入的异族所戳穿了。”这恐怕只好算作第二教训，因为下文更没有话了。

我至今不知道中国到底是征兵好呢还是用募兵好，募兵有些缺点如上文所述，而征兵又有别的不便，虽不扰民而不易使唤如意。在这时候我读同乡屠君介如所译拉兹科的《战中人》，不禁发生感慨，原作既好，译文亦佳，这是一部极好的非战小说，只可惜来得太早了。中国现在还是募兵，哪里懂得兵役之苦，中国现在还不是战，哪里谈得到非战呢。这部书抛到中国社会里去，会发生若何反应，我实在不能知道，但是屠君翻译这部世界名著的劳力，我们总是应该感谢的。

二十年十一月十三日，于北平。

读《游仙窟》

《游仙窟》从唐代流落在日本，过了一千多年才又回到中国来，据我所见的翻印本已经有两种了：其一是川岛标点本，由北新书局出版单行；其二是陈氏慎初堂校印本，为《古佚小说丛刊》初集的第一种。

《游仙窟》在日本有抄本刻本两种。抄本中以醍醐寺本为最古，系康永三年（1344）所写，大正十五年（1926）曾由古典保存会影印行于世，此外又有真福寺本，写于文和二年（1353），比康永本[①]要迟十年了。刻本最古者为庆安五年（1652）一卷六十五页本，有注，至元禄三年（1690）翻刻，加入和文详释，析为五卷，名为《游仙窟抄》，今所常见者大抵皆此本或其翻本也。以上各本除真福寺本无印本流传外，我都见过，川岛所印即以元禄本为根据（所用封面图案即是卷中插画之一），经我替他用醍醐寺本校过，不过其中错误还不能免。慎初堂本在卷末注云

“戊辰四月海宁陈氏依日本刻本校印”，但未说明所依的是庆安本呢还是元禄本。据我看来，陈君所用的大约是元禄本，因为有几处在庆安本都不误，只有元禄本刻错或脱落了，慎初堂本也同样地错误，可以为证。

一页下一行	触事早微	卑
二页上六行	□久更深	夜
十页上九行	谁肯□相磨	重
十一下十三行	到底郎须休	即

慎初堂本还有许多字因为元禄本刻得不甚清楚，校者以意改写，反而致误，可以说是一大缺点，例如：

七页下六行	儿適换作	遞
同	太能□	生
同七行	未敢试望	承
十四下十行	馀事不思望	承
十五下三行	一臂枕头	支(抄本)
同四行	鼻里瘘痺	瘬

日本刻本承字多写如“樣”字的右[2]边那样子，现在校者在七页改为试字，在十四页又改作思字，有些地方（如四页下五行）又照样模刻而不改，不知有何标准。九页下二行，男女酬应词中“一生有杏”及

"谁能忍楱"，原系双关字句，校者却直改作有幸及忍耐，未免索然兴尽。至于十三页下十六行，"数个袍裤异种妖婿"，本是四言二句，慎初堂本改作：

数个袍裤异　□种妖婿□

令人有意外之感。八页下七行，叙饮食处有"肉则龙肝凤髓"一句，肉字照例写别字作宍，刻本有点像完字的模样，慎初堂直书曰："完则龙肝凤髓"，亦未免疏忽。此外校对错误亦复不少，举其一二，如：

二页下三行	水栖出于山头	木
八页上四行	谓性贪多	为
十五下三行	一喫一意快	啮
十六下十三行	联以当奴心	儿
十七上十六行	皆自送张郎	白

此外有些刻本的错字可以据抄本改正的，均已在川岛本照改，读者只须参照一下，即可明白。唯川岛本亦尚有不妥处，如：

三页下九行　相著未相识

抄本作"看"，川岛本亦误作"著"。

四页上六行　孰成大礼

抄本作"就"，川岛本改作"既"，无所依据，虽然在文义上可以讲得通，亦应云疑当作"既"才好。

五页下九行　金钗铜镮

抄本作“铟”，川岛本从之，但原注云女久反，可知系“钮”字之误，应照改。

同十六行　　　　打杀无文

抄本作“打杀无文晝”，末字疑或系“書”字之误，但亦未能断定。

六页下三行　　　　奉命不敢则从娘子不是赋古诗云

川岛本在“不敢”下着点，疑不甚妥。察抄刻本标记句读，似应读为“敢不从命，则从娘子，不是赋（或有缺字），古诗云”，意思是说，“敢不从命。就请从娘子起头，这并不是做诗，只如古诗（?）云，断章取意，惟须得情。……”这虽然有点武断，但也并不是全无根据，正如陈君在《古佚小说丛刊》总目上所说，“此书以传钞日久之故，误字颇多”，有些还是和文的字法句法也混了进去，上边的“奉命不敢”即其一。又四页下一行，“见宛河源道行军总管记室”，这宛字也是日本字，意思是委付，交给，不是张文成原文，不过无从替他去改正罢了。

《游仙窟》的文章有稍涉猥亵的地方，其实这也只是描写幽会的小说词曲所共通的，不算什么稀奇，到是那些“素谜荤猜”的咏物诗等很有点儿特别。我们记起白行简的《交欢大乐赋》，觉得这类不大规矩的分子在当时文学上似乎颇有不小的势力。在中国，普通刊行的文章大都经过色厉内荏的士流之检定，所以这些痕迹在水平线上的作物上很少存留，但我们如把《大乐赋》放在这一边，又拿日本的《本朝文粹》内大江朝纲（894—957）的《男女婚姻赋》放在那一边，便可以想见这种形势。《本朝文粹》是十一世纪时日本的一部总集，是《文苑英华》似的一种正经书，朝纲还有一篇《为左丞相致吴越王书》也收在这里边。《万叶集》诗人肯引《游仙窟》的话，《文粹》里会收容"窥户无人"云云的文章，这可以说是日本人与其文章之有情味的一点。我相信这并不是什么诡辩的话。《交欢大乐赋》出在敦煌经卷之中，《游仙窟》抄本乃是"法印权大僧都宗算"所写，联想起铁山寺的和尚，我们不禁要发出微笑，但是于江户文明很有影响的五山文学的精神在这里何尝不略露端倪，这样看去我们也就不能轻轻地付之一笑了。

【锺校】

①原无"本"字，今增。

②"右"原作"左"。

□专斋随笔

西班牙的古城

听了君培的保荐之后，我特地跑到市场，买了一本徐霞村戴望舒两位先生合译的《西万提斯的未婚妻》，又添上一本徐先生编著的《现代南欧文学概观》，结果给了岐山书社一块钱，只找回二十枚的一张破铜元票。

我在路上看了《概观》里的一篇讲阿左林的文章，虽是很简单，却比那些更长的评论还觉得有意思。随后读了《未婚妻》里两篇小品，《一个西班牙的城》和《一个劳动者的生活》，我都觉得很好。回家后总是无闲，隔了三天遇见星期日，吃过午饭，才有工夫翻开书来读了五六篇，到了《节日》读完，放下书叹了一口气：要到什么时候我才能写这样的文章呢！

我不知怎样对于西班牙颇有点儿感情。为什么缘故呢？谁知道。同是在南欧的义大利，我便不十分喜欢。做《神圣的喜剧》的但丁实在是压根儿就不懂，邓南遮将军的帝国主义的气焰不必说我是不敢领教，就是早期的《死之胜利》我知道它写得好，也总不是我的爱读书。《十日谈》的著者濮卡屈大师有点儿可喜，但也似乎不及法国的后辈拉勃来与蒙丹纳更使人感到亲近。这大约是我的偏见，一直从古代起，我对于罗马文学没有什么兴趣，——其堕落时期的两种小说自然是例外。虽然后来义大利文学未必就是罗马的传统，但我总觉得对于二者之冷淡仿佛是有什么关系似的。

有一个西万提斯和“吉诃德先生”，这恐怕是使我对西班牙怀着好感的一个原因。这部十六世纪的小说，我还想偷闲来仔细读它一下子。英国学者们做的《西万提斯传》与乌纳木诺解说的《吉诃德先生的生活》，我读了同样地感到兴趣与意义，虽然乌纳木诺的解释有些都是主观的，借了吉诃德先生来骂现代资本主义的一切罪恶，但我想整个的精神上总是不错的。同乌纳木诺一样地反对专政的伊巴涅支，写他故乡的生活也很有味，虽然他在世界以《启示录的四骑士》得名，我却还没有读，我想这或者也如显克微支的《你往何处去》，反把短篇小说埋没了罢。其次是阿左林。他的文章的确好而且特别，读他描写西班牙的小品，真令人对于那些古城小市不能不感到一种牵引了。蔼理斯的《西班牙的精神》给我不少愉快的印象，伊尔文的《大食故宫馀载》也是我小时候爱读的书，至今朦胧地回忆起来，不知怎地觉得伊伯利亚半岛的东西杂糅的破落户的古国很有点像是梦里的故乡，只可惜真的故乡和祖国没有艺术的写真，在日光直射之下但有明明白白的老耄与变质，不免如司马牛那样要嫉妒人家的幸福了。

《西万提斯的未婚妻》这本译本是我所喜欢的书，——不过书名似乎不大好，有点儿 Journalistic（江湖气?），而且也太长。

希腊的古歌

承小峰寄给我几本新出版的书，其中有一本鲍文蔚君所译法国比埃尔路易的《美的性生活》，原名《亚芙罗蒂忒》（*Aphrodite*）的便是。关于这本书，想起二十年前的一件事：那时在东京丸善书店见到一本英译，印得颇草草，而定价须日金九圆，虽然很想买却是拿不出这些钱，只得作罢，买了须华勃《拟曲》的译文回来，是 Mosher 的印本，觉得还不差，但是总还不能忘记路易的那本小说，不料过了几天丸善失火，就此一起烧掉了。现在居然能够看见中国译本，实在可以说是很愉快的事。

先看序文。在第十四页上译者说，第四部第一章中的古希腊诗，曾经问过好些学者，都说不大了解，觉得有点奇怪，翻出来看时，其中有“白臂膊的安得洛玛该”与“杀人者赫克多耳”等字，疑心是荷马的诗，到《伊里亚特》里去找，果然在第二十四章中找着。其大意如下：

他们（挽歌郎）唱哀歌，女人们跟着悼叹。在女人中间白臂膊的安德洛玛该开始号哭，两只手抱着杀人者赫克多耳的头，说道："丈夫，你年青死去了，剩下我在房中做寡妇；孩儿还是稚弱，不幸的你和我所生的儿子。"

但是我又想到东亚病夫先生父子也有此书的译本，随即托人到景山书社去买了来，这叫做《肉与死》，是真美善书店出版的。第四部原诗之下附有后注，文曰：

这是荷马《伊利亚特》中的一节，译意是——

妇人们啜泣，他们也多悲号。这些妇人中白臂膊的恩特罗麦克领着哀号，在她手中提着个杀人者海格多的首级：丈夫，你离去人生，享着青年去了，只留下我这寡妇在你家中，孩子们还多幼稚，我和你倒运的双亲的子息。（二八六页）

关于这里的[①]"杀人者"（Androphonos）我觉得有注解的必要。这是一种尊称，并无什么恶意，应解作"杀人如草不闻声"的杀人，这一个字我实在觉得没有好的译法。

曾先生译文中"提着……首级"云云似乎有点不

大妥当，因为原文“手”是复数，乃是抱或捧而非提。赫克多耳被亚吉勒思用矛刺在喉间而死，并没有被斩下首级来，虽然诗中有两次说起老父去赎回赫克多耳的头，这只是一种普通说法，其实他的尸首还是整个的。亚吉勒思为要报他杀友之仇，从足跟到髁骨穿通两面的脚筋，穿上牛皮条，把他拴在车子后边，让头拖在地上，一直拖到船边，可以为证。就是这样做法希腊诗人也就很不以为然，上面说过他“想出处置高贵的赫克多耳的恶劣的方法”，后边又说亚吉勒思在愤怒中这样可耻地处置高贵的赫克多耳，又述说亚坡罗垂怜赫克多耳，用金盾给他包盖，在亚吉勒思拖着他走的时候使他皮肤不致受伤。赫克多耳原是希腊联军的敌人，但希腊诗人却这样地怜惜他，有时候还简直有点不直胜者之所为，这种地方完全不是妇女子的感伤，却正是希腊人的伟大精神的所在。照这样看来，我们的盲诗人荷马翁（无论是他或是谁）大约不会愿意使赫克多耳首身异处，更未必会叫他的妻子提着他的首级的罢。这原是很小的小事情，不过我以为误解了一句话，容易就损伤了原诗的精神，而且也要减少了葛丽雪所说的“忍不住要掉泪”的力量了。文中“孩子”是单数。我们知道他们只有一个儿子，即是亚思都亚那克斯（Astyanax），据欧列比台斯

(Euripides)在《忒罗亚的妇女》中说(《伊里亚特》中也已暗示),被希腊人捉去,从城墙上摔下来跌死的,所以"孩子们还多幼稚"一句也有可商之处。至于"享着青春去了"的意思在原文找不着,只有Neos一个字,似乎是说"年纪青青"而死去,只是死的补足语罢了。

路易原书的价值如何,我此刻说不上来,因为实在还没有读,而且鲍曾二君的序跋和外国批评家的言论具在,说得很是明白了。我现在只想挑剔一句,《肉与死》和《美的性生活》的书名都不很好,至少是我觉得不喜欢,虽然我知道《阿弗洛狄德》的译名在中国读书界不很流通,引不起什么情感,不甚适宜于做书名,假如希望读者因了题名而去读书。

(十九年五月廿五日)

【锺校】

①原无"的"字,今增。

古希腊《拟曲》

暑假中照例要预定下好些工作，如译述或编著一两部书，但是结果照例是没有东西。论理，在暑假中至少是四个有闲了，应该很有工夫来做这些闲事，然而不然。这是什么理由我也不知道，只是积十多年的经验知道它是这样罢了。今年夏天因此不再去计划大事业，只想写几篇小文章，可以去送给朋友登在周刊上。——可是说到“写”，这件事谈何容易，回过头来还只能又想到译，于是便想到译那古希腊的《拟曲》（*Mimiamboi*）。这是亚力山大时代海罗达思（Herodas）所作，现存七篇，每篇平均二千多字，其中有两篇又已根据英译本重译过，收在《陀螺》里，现在只须再照原文校读一下，加以订正就好，所以工作似乎不很繁重，在两个月内想必可以完成的了。

九月十日已经到来了。侥幸国立各大学大都开学无期，大家还可以逍遥度日，但是日期总是日期，暑假总是已经完毕，以后只可算是纪念放假，不能连上并算了。看看我的工作，却还只译了三篇，——《妒妇》《塾师》《乐户》——虽然就原本说来篇篇都是珠玉，毕竟还只是三篇，还有四篇未曾译出。这有什么法子呢？暑假里的工作是那么靠不住，只好在暑假之后再来从头着手了。

工作的成绩不好，把这个责任完全推给暑假也实在是不公平的，这只能算是三分之一，三分之一还在自己。其中一部分或者是懒吧，一部分却是病，不知道是否因为有闰六月的关系，今年夏天天气有点不正，雨下得少，墙倒得也少，固然是好事，但凉热也不大准，影响到了我的鼻子，很长久地生了鼻加答儿，有两三星期不能执笔。至于其馀的三分之一的原因，还要归在《拟曲》原文的身上。“难”是当然的，这不过多费工夫力气罢了，重要的还是由于“妙”，这个便费尽心机也有点没法想，有时候只好翻开又放下，大有望洋兴叹之概，《乐户》一篇即是此例，后来根据了丑媳妇免不了见公婆面的哲学，决心把它写了下来，其第六篇《密谈》曾收在《陀螺》里边，也早就想改译，可是一直还没有能实行。这篇里所谈的是关于一件东西，英译本称之曰皮带，实在却如威伯来（Charles Whibley）在所著《坦白之研究》

(*Studies in Frankness*)第五章说的那样，乃是一种不名誉的物事，她们叫作 ton kokkinon baubona，考据家说 baubon 即是 Olisbos，古词典上说得很是明白，aidoion sukinon husteron de ek dermaton eruthron skhema aidoiou ekhontes andreiou，别处又申明之曰，hois khrontai hai kherai gunaikes，本来中国也有很好的译名，只是总不好用，所以这篇绝妙的小文我至今还不能动手改译。坎不列治注释本之定价三镑三，这个缘故我也才明了，古典书销路少，固然该贵些，但与这 baubon 总也有点关系吧？

这个年头儿，翻译这种二千年前的古老东西，真可以算是不识时务了。可是，这有什么办法呢？我近来不大喜欢重译，除了万不得已的时候。英文，高明的人很多，日文却是想译，不过不是文艺作品，只有这个《拟曲》最是合式，所以先译了。而且我也很喜欢古希腊的精神，觉得值得费点力来绍介。英国文人哈士列忒（William Hazlitt）说过："书同女人不一样，不会老了就不行。"古希腊的书大抵是这样，老而不老。威伯来批评海罗达思说：

> 他所写的脚色都呼吸着，活着。他所写的简单的情景只用几笔描成，但是笔致那么灵活，情

> 景写得完全逼真。材料是从平凡生活中取来，但是使用得那么实在，所以二千年的光阴不能够损伤那图画的真实。这书是现代的，好像并不是昨天所发现，却是昨天所新写。海罗达思所描写的情绪不是希腊的，但是人类的，要赏识了解这些，极是容易，并无预先吞下去许多考古学知识之必要。

或者可以说，描写的情绪是人类的，这也就是希腊的，因为这种中庸普遍的性质原来是希腊文化之一特色。我真觉得奇怪，我对于从犹太系或印度系的宗教出来的文学有时候很有点隔膜，对于希腊系的要容易理解得多，希腊神话就是最好的例，虽然我们与犹太印度都是属于所谓东方文明底下的。——话似乎说远了，现在应该拉它回来。中国现代需要不需要这些古典文学，我不知道。但是，从历史上看起来，这是不需要的，因为历来最为中国所需要的东西乃是八股之类，而这类东西在古希腊是没有的。不需要也罢，现在还是设法翻译要紧。

蔷薇颊的故事

日前闲暇无事，不免到东安市场去游玩一番，在某书摊上看见方璧先生著的《西洋文学通论》，心中大喜，赶紧买了回来，连夜翻阅一下子。这是用唯物史观来讲西洋文学变迁的简明的入门书，花了一块半钱买来一看也该还是值得的。但是我看到第三章《希腊与罗马》原书第六十四页，不禁大吃一惊，只见上面写着道：

抒情诗人中最惹起兴味的，是女诗人莎孚（Sappho）。关于她的身世，已成为一部分的传说：据说她先陷为奴，由她的哥哥赎出，嫁于“玫瑰红颊”的洛独劈斯（Rhodopis），今传有莎孚的断章怀洛独劈斯。另一传说则谓莎孚在尼洛河中洗浴，有鹰攫其屣飞去，直至门非斯（Memphis）而坠于埃及皇帝之御座前。因为屣美甚，埃及皇爱慕屣之主人，遣使者大索，终得莎孚而立以为后，莎孚死后，埃及皇为立一金字塔以为纪念。又有一传说则谓莎孚的恋人极多，然始终为她所爱而竟不得回答者，则为一舟子发翁（Phaon）；据说发翁因对于爱神委娜斯有礼，被这位女神赐以青春不老的容貌。莎孚爱发翁不得，则投崖而死。

这一大段，讲作家的轶事似乎也讲得太多了。除末一个传说确曾有过外，其馀又何其那么样的“缠夹二先生”，讲得真是莫名其妙。中国关于莎孚的记述想必还有，如《文学大纲》等，可惜手头没有，姑且查《自己的园地》中《希腊女诗人》一文，节录于下以资比较：

萨福有二弟。……次名哈拉克瑣思，业运酒，至埃及遇一女子，名罗陀比思，悦之，以巨金赎其身；罗陀比思者义云蔷薇颊，旧为耶特芒家奴，与寓言作者埃索坡思（旧译伊索）为同僚也。

上面所说，大抵是根据二千四百年前的历史，老祖师海罗陀妥思（Herodotos）的话。我们现在可以再去从英国华顿（H. R. Wharton）的《莎孚小传》中得到一点资料，他说：

哈拉克瑣思以运酒为业，将有名的勒色波思

酒运往埃及的瑙克拉帖思，他在那里爱上了一个美妇人，名叫陀列哈或罗陀比思，以巨金为之赎出奴籍。海罗陀妥思说她从忒拉垓地方去，曾服侍过萨摩思的耶特芒，和寓言家伊索做过同僚。苏伊达思说哈拉克琐思娶了她，生有子女，但海罗陀妥思只说她被落籍，仍留在埃及，因为她很美丽，获得相当的财产，她后来捐出十分之一，做了许多烤牛用的铁串献在台耳菲的亚颇罗庙里。但是亚典那欧思批评海罗陀妥思错把两个人溷在一起，说哈拉克琐思娶了陀列哈，献铁串给台耳菲的乃是罗陀比思。的确莎孚在诗中称她为陀列哈，而罗陀比思则是她的狎客们通用叫她的名字亦未可知。

还有一种关于罗陀比思的混乱的传说，便是在希腊说她建筑那第三金字塔。海罗陀妥思曾经努力说明，这样一个工程远非她的财力所能及，实在是前代的帝王们所造的。可是这故事还是流传，虽然明显地是虚假的，至少到普列尼时代为止。朋生等人曾说明这造塔的人或者是尼多克列思，埃及的美后，许多传说的主人公，盖建筑始于米克列奴思，而尼多克列思完成之也。

斯忒拉波和爱列安又讲一罗陀比思的故事，令人想起童话里的灰娘（Cinderella）。他们说，有一天罗陀比思在瑙克拉帖思河里洗浴，一只鹰从她侍女的手里攫去了她的一只鞋子，飞到门非斯，在埃及王的头上盘旋，就将鞋子落在他的怀中。王看见鞋子之美，又觉得这事之奇，便遣人到全国去访求这鞋的主人。这主人在瑙克拉帖思城中找到了，带到王那里去，他就立她为王后，据说在她死后王又给她造了第三金字塔作为纪念。

所谓莎孚"忆洛独劈斯"的断章我们也找不到，只见过有四句，英国 Haines 编《莎孚遗诗》第十，大意云：

拘普列思，他找到了更苦辣的你，
他们夸张地这样说着，
陀列哈得到了她的
真如意的第二的情人！

拘普列思即爱神的别名，即亚孚罗迭德，罗马称为威奴思，或译维纳丝，委娜斯。这断句大约是说哈拉克琐思获不到爱神的恩惠，所以娶了陀列哈这个娼女，为瑙克拉帖思人所嘲笑，末二行是模仿他们的口气。莎孚及其弟兄与罗陀比思即蔷薇颊的关系大概就是如此。至于另外有男性的洛独劈斯，以及莎孚为奴为后的各种有趣味的传说，孤陋寡闻的我们实在未曾听见过，亦未知有何出典也。

（二十年三月七日）

《杨柳风》

去年冬天在一个朋友那里见到英国密伦（A. A. Milne）的著作，论文和儿歌，觉得喜欢，便也去定购了一本论文集，名叫《这没有关系》（*Not That it Matters*, 1928九版），其中有一篇《金鱼》，我拟作了一篇，几乎闯了祸，这固然是晦气，但是从这里得来的益处却也并不是没有。集里又有一篇文章，名《家常书》，乃是介绍格来亨（Kenneth Grahame）所作的《杨柳风》（*The Wind in the Willows*, 1908）的。关于格来亨，我简直无所知，除了华克（Hugh Walker）教授在《英国论文及其作者》中说及："密特耳顿（Richard Middleton）的论文自有它的地位，在那里是差不多没有敌手的，除了格来亨君的几本书之外。"密特耳顿著有论文集《前天》，是讲儿童生活的，所以这里所引的格来亨大约也是他的这一类的书，如《黄金时代》等，但总不是我所想要知道的

《杨柳风》，结果还只得回来听密伦的话才能明白。可是，他也不肯说得怎么明白，他说：“我不来形容这书，形容是无用的。我只说这句话，这是我所谓家常书的便是。”他在上边又说：“近十年来我在保荐它。我初次和生客会见常谈到这书。这是我的开场白，正如你的是关于天气的什么空话。我如起头没有说到，我就把它挤在末尾。”我听了介绍者的话，就信用了他，又去托书店定购一本格来亨的《杨柳风》。

但是我没有信用他到底，我只定了一本三先令半的，虽然明知道有沛恩（Wyndham Payne）的插画本，因为要贵三先令，所以没有要，自己也觉得很小气似的。到了上月中旬，这本书寄来了，我不禁大呼愚人不止，——我真懊悔，不该吝惜这三九两块七的钱，不买那插画本的《杨柳风》。平常或者有人觉得买洋书总是一件奢侈的事，其实我也不能常买，买了也未必全读，有些买了只是备参考用，有些实在并不怎么好，好听不中吃，但也有些是懒——懒于把它读完。这本《杨柳风》我却是一拿来便从头至尾读完了，这是平常不常有的事，虽然忘记了共花了几天工夫。书里边的事情我也不能细说，只记得所讲的是土拨鼠，水老鼠，獾，癞，黄鼠狼，以及《癞施堂的癞施先生》（*Mr. Toad of Toad Hall*），和他老先生驾汽车，闹事，越狱等事的。无论这给别位看了觉得怎样，在我总是很满意，只可惜没有能够见到插画，那想必也是很好的了。据书页上广告说明这本书，我觉得很是适切，虽然普通广告都是不大可靠：

> 这是一本少年之书，所以因此或者专是给少年看，以及心里还有少年精神活着的人们看的。这是生命，日光，流水，树林，尘土飞扬的路，和冬天的炉边之书。这与《爱丽思漫游奇境记》相并，成为一种古典。

《杨柳风》于一九〇八年出版，我得到的是一九二九年本，已是三十一版了，卷首广告密伦的新著剧本《癞施堂的癞施》，注明即是根据《杨柳风》改编的。恰巧天津有一位小朋友知道我爱那《杨柳风》，便买了这本剧本来送我，省得我再花钱去定，使我非常感激。我得到这剧本后又把它从头至尾读完了，这是根据格来亨的，却仍满是密伦，所以觉得很有意思。序文上有些话说得很好，抄录一点在这里：

> 有好些随便的事，只肯让我们自己去做。你的手和我的手都不见得比别人的手更干净，但是我们所愿要的那捏过一捏的牛油面包，还是放过我们自己的大拇指的那几片。把格来亨先生变成剧本，或者会使得他遍身都印上不大漂亮的指

痕，可是我那样的爱他的书，所以我不愿意别人把它来弄糟了。因此我接受了那提示，便是我来改编《杨柳风》为剧本，假如这是别一种书，我就以为太难，只好辞谢了。

关于书中的土拨鼠，他说：

有时候我们该把他想作真的土拨鼠，有时候是穿着人的衣服，有时候是同人一样的大，有时候用两只脚走路，有时候是四只脚。他是一个土拨鼠，他不是一个土拨鼠。他是什么？我不知道。而且，因为不是一个认真的人，我并不介意。

这些话我都很佩服，所以乐为介绍，至于剧本（及故事原本）的内容，只好请它自己来说明，我觉得别无办法了，除非来整篇地翻译。

《杨柳风》与《癞施堂的癞施》的确是二十世纪的儿童（一岁到二十五岁！）文学的佳作，值得把它译述出来，只是很不容易罢了。它没有同爱丽思那样好玩，但是另有一种诗趣，如《杨柳风》第七章《黎明的门前之吹箫者》，写得很美，却也就太玄一点了，这个我怀疑是否系西方文人的通病。不过，我们自己既然来不成，那么剩下的可走的路只有翻译了。这个实在难，然而也顾不得它难，——到底还是难，我声明不敢尝试，虽然觉得应当尝试。从前曾说过这样的话："我们没有迎合社会心理去给群众做应制的诗文的义务，但是迎合儿童心理供给他们文艺作品的义务，我们却是有的，正如我们应该拒绝老辈的鸦片烟的供应而不得不供给小孩的乳汁。"这是民国十二年三月里的事，七月二十日在《土之盘筵》一篇后记里说："即使我们已尽了对于一切的义务，然而其中最大的——对于儿童的义务还未曾尽，我们不能不担受了人世一切的苦辛，来给小孩们讲笑话。"也是同样的意思。实行到底不大容易，所以至今还是空话介绍，实在很是惭愧，而儿童文学"这个年头儿"已经似乎就要毕命了。在河南的友人来信说："在中国什么东西都会旧废的，如关税和政治学说都印在初级小学一二年级课本上，那注重儿童个性，切近儿童生活，引起儿童兴趣的话，便是废旧了。"这有什么法子呢？中国的儿童教育法恐怕始终不能跳出"读经"，民国以来实在不读经的日子没有多少。我介绍这两种小书，也只好给有闲的朋友随便读了消遣长夏吧？

（八月四日于北平）

拥护《达生编》等

本月六日《新晨报》上登载一位瑶君先生的大文，责备北京大学的图书馆，分四点说来，洋洋洒洒，骂得极其畅快，这且按下不表。我见第三节中有这一段话，不禁有点异议，想要替那些书叫声冤枉，并且喊出拥护的口号来。原文云：

据发表中文方面所买的书籍，竟至有沿街地摊所摆，三小枚人犹不要的大著，赫赫在焉，买书员之不识字可知。姑举一例，如所购者有《达生编》及《戒淫宝训》，以及《太上感应篇》等类，在我个人看来，此等圣谕书籍，实无往图书馆之必要，不知他人以为如何？该书何幸，竟遇无识之徒，一游北大之高阁，斯真天下之大笑话。有用而最普通者，反不备置，见字纸即拾，诚为善举，其弊当可想见。虽购书之款不大声呼冤，当其差者至少应于众人之前，责其赔偿后，共唾逐之。

我觉得，《达生编》等的价值未必就这样地等于零。诚然《达生编》是专讲产科的，北大既非产婆养成所，那么既非有用而亦并不普通，原也不错，至于《戒淫宝训》与《太上感应篇》乃系所谓善书，只应由道德总会等类机关印刷分送，青年新人即使接到，也就搁在一边，不然还当送进该去的地方去才对罢。但是以我个人的意见说来，却以为这大有价值，不特应该保存，而且还当着实宝重的。为什么呢？

研究中国文化，从代表的最高成绩看去固然是一种方法，但如从全体的平均成绩着眼，所见应比较地更近于真相。关于性的现象，交接，孕娠，生产，哺乳，保育，种种民间的思想与习惯，如能搜集研究，横的从地方上，纵的从年代上编成有统系的一种史志，我相信它能抓住中国文化的一面，会比《九通》之类还要多，还要精确。《达生编》即是关于生产的资料之一，只可惜它的思想太是开通一点了，不及更原始的医书之重要，这个我们还非费钱费力去搜集不可。《戒淫宝训》我未见过，不知是否《不可录》等书中所录的文章。至于《太上感应篇》，则是我素所看重的儒教化的道教之好资料之一，与文昌帝君《阴骘文》关圣帝君《觉世真经》堪称三璧。真正的中国国民思想是道教的，即萨满教的，但也混入儒佛的分子，其经典中的上列三书与《玉历钞传》就是这两派混合的成绩品。把这些成文的混合道教经典与不成文（却更为重要）的风俗礼节，广加采集，深加研究，所得结果也要比单从十三经二十四史研究出来的更能得到国民思想的真相。所以我主张要趁现在沿街地摊上还有的时候，只要能够看到，尽量地多收，留作特种重要研究的资料，如能搜到许多，另辟一个书库藏贮更佳。现在话已说了，让我来发声高呼拥护的口号：

拥护《达生编》！

拥护《戒淫宝训》与《太上感应篇》！

拥护一切圣谕书籍！

介绍政治工作

《政治工作大纲》，何容著，本年四月北平出版。洋纸六开本二四二页，定价大洋八角。

本书内容共计十章，即总理纪念周，党旗与国旗，赞礼，总理遗嘱，标语，口号，演说，军民联欢大会，党务，传单，是也。此外有绪论及后记，附录三种，卷首有“献给王得胜同志”的呈献辞，次为题词，引陈公博先生的文章里一个武装同志的话：“贴标语总要找人罢!”封面图案系“自子恺漫画中偷来”，记得是一张“病的汽车”。至于字呢，据精通掌故的人说，乃自中山先生手书的文章中集出云。

这是一本近来少有的好书，我一拿到手从头至尾看了一遍，没有一行跳过不读。是什么缘故呢？这个我实在说不出。我想，未必因为彼此是同行罢？老实说，我以前曾经有过一个计划，想编一部完全的“宣传大全”，内分天文地理时令人物等门，人物门中按照百家姓，以人为纲，划分拥护打倒两目，将某人的同一事件，依照拥打两种场合，拟成适当文句，分别登录，以备临时应用。这部大全如能编印成功，生意一定不会差，只可惜工程浩大，而且泄尽人天奥妙，恐遭造物之忌，也不很好，所以就搁下了。现在何君的《大纲》出来，略可补此缺恨，自然是很好的，但是中国有句老话，“同行嫉妒”，我既是著者的同行，又被他捷足先登，那么因此而反爱读该书，照中国的道理是不会有的了。

其次，难道是因为意见相近么？恐怕这也不见得。我平常有一种偏见，不大喜欢口号与标语，因为仿佛觉得这是东方文化的把戏，是“古已有之”的东西，玩了没有什么意思。假如相信它有实在的神力，那就有点近于符咒，或者只是根据命令，应时应节地装点，这又有点类似八股了。即使以广告论，我又是很讨厌广告的，其原因当然是一半由于商业广告之撒谎，一半则是被沿路的香烟广告——特别是画广告穷凶极恶地包围，失去了姑妄观之的忍耐性了。反过来说，我因为不喜欢符咒，八股，以及广告，所以对于标语口号也不大喜欢，或者说得更为妥当一点亦未可知。但是，假如因为自己不喜欢，看见人家有类似的意见，便五体投地的赞美他的全部著作，那也未免太感情用事，是我所极想避免的。况且，著者也并未明了地表示他反对的意见呢。

我称赞这本书的缘故是很简单的，便是因为它能够将政治工作的大纲简明地说给我们知道。著者是专攻标语学（Posterology）的同志，凡读过他批评北大三十一周纪念标语的文章的人无不知道，这回他根据了多年的经验与研究，把以标语口号为中心的各项工作有条不紊地写成一本书，的确如著者所说“自党国成立以来，这类著作似乎还不甚多见”。看官们手里如有八毛钱，想到平安去看有声电影，我劝大家不如买一本这个大纲，拿回公寓去读：你如不赞成喊口号贴标语的，读了也有意思，万一是将来要去做这些政治工作的，读了尤有用处，反正是不会叫你上当的。不过若是手里有一块六毛钱，想两个人去看电影，那么我就不好意思劝你买，因为叫人家牺牲恋爱来研究政治工作，未免有点拂人之性，所以我也只能恕不替著者硬拉买卖了。

论剽窃

拿出英国乔治隆（George Loane）所编的一本《文学语小字典》来，想查一个字，偶然翻到 Plagiarism，看见它的注解很有意思，就抄译在这里。其文曰：

剽窃，即是抄袭移用别个作家的文句与意思。弥耳登说："文人间的借用，如借用者不能运用得更好，是即为剽窃。"现在来讨论这件事的是非，系属无用。作家向来常互相抄袭，无论是意识地或非意识地，而且将来也总常要如此。一个罗马批评家说："货物的分享与共有，在诗人和别的作家中间常是许可的。"只是假如他们把借用的东西弄糟了，我们这才非难他们。汤姆生说："在文学上，斯巴达的法律一样有效，在这里偷窃是体面的事情，只要做得巧妙好看，因此麦加利是偷儿与诗人两者的祖师。"有些剽窃在我们看去确有点卑劣，但要给我们感情举出很好的理由来也是不大容易。诗人们在他们偷窃的程度上也大有差别，绝少有人像格莱那样继续地巧妙地偷，他的诗多是些镶嵌工作，用前代诗人的碎片凑成的，这就是现代作家写拉丁诗的方法。有人或者觉得受了欺骗，看出创作的诗是这样构成的，但也有人看见旧识的珍宝装在新的座盘上的时候，感到一种特别的愉快。真诗人的借用并不是为省麻烦。假如有人以为用了别人的文句做成好诗是很容易的事，那么让他去试试看。但是，我们对于美妙文句的制造者，自然要比巧妙的偷窃者更为感谢。莫里哀，斯滕，仲马以及迭色勒列，都是伟大的剽窃家队中的人物。

看了这一节话，我略有点感触。

第一，所说"现代作家写拉丁诗的方法"实在也即是中国作家写古文的方法。中国几千年来文章都已做尽，话也已说尽，在一定的范围内，用一定的文字去写，又不准有新的材料添加，结果不得不成为镶嵌细工，把前人的碎片凑成一篇东西，不过这种工作实在太难，所以古文难免于没落了。

第二，所引芳济汤姆生的话我觉得很有意思。这不尽是幽默的话，也并不限于诗人的作贼，我想无论什么事都是这个道理。什么事都可以做，只要做得巧妙好看便都是对的，不过有些事总不能巧妙好看地做，那么这些事还是不做好，即使未必就是不对。

我看见惠公的《闲话》原稿中引鹤兄的话，大意说人无好坏，只有雅俗之分，我很同意，觉得比汤姆生或者说得更为圆广一点。然而雅俗之事盖亦难言之矣，这个大约七分出于性情，三分由于境界，恐怕很不容易勉强，此其所以难也。——从文学上的剽窃岔到雅俗问题来，实在拉得太远了，我的本意还只在抄译那段文章，差不多是翻译的工作，这个尾巴乃是外加上去的，与本文并无多大关系，所以现在也就可以不再拉扯下去了。

（十九年六月二十二日，刮大风之夜，于北平）

文字的魔力

中国是文字之国，中国人是文字的国民。这是日本人时常挖苦中国的话，但是我仔细想过觉得并不怎么冤枉。

中国人之善于做应制文诗，章奏状词，传单揭帖等，截至民国十九年止，至少也有二千年的历史了。不过这个暂且搁起不谈，我所想说的只是文字在中国的一种魔力。

据说那位有四只眼睛的仓颉菩萨造字的时候，天雨粟，鬼夜哭，就闹得天翻地覆，惜字圣会的大黄布口袋至今还出现于北平市上，可见不是偶然的事。张天师派的鬼画符，以至夜行不恐的手心的虎字，或者是各地都有类似的花样，等于西洋也有臭虫，但是“对我生财”等标语则似乎是我们的特别国情了。再看通行全国的戏曲小说，其才子佳人一类的结构，无非是小生落难，后花园订百年盟，状元及第，考试院对七字课之流，《平山冷燕》与《花月痕》等书里的主人公，唯一的本领几乎就是吟诗。在秀才阶级支配着思想的中国，虽然实际上还是武帝与财神在执牛耳，文章却有他的虚荣，武帝财神都非仗他拥护不可，有时他们还得屈尊和他来做同伴才行。儒将和儒医一样，有特别的声价，所以说关圣帝君必得说他读《春秋》，说岳爷爷也必得举出他的一首《满江红》来。民国以来这种情形还不大变，如威名盖世的吴子玉先生和冯焕章先生都有一部诗集出世，即是很好的例子。

诸暨蒋观云先生在《新民丛报》上咏卢骚曰：“文字成功日，全球革命潮。”其是之谓欤？

论骂人

有一天，一个友人问我怕骂否。我答说，从前我骂人的时候，当然不能怕被人家回骂，到了现在不再骂人了，觉得骂更没有什么可怕了，友人说这上半是“瓦罐不离井上破”的道理，本是平常，下半的话有李卓吾的一则语录似乎可作说明。这是李氏《焚书》附录《寒灯小话》的第二段，其文如下：

是夜（案第一段云九月十三夜）怀林侍次，见有猫儿伏在禅椅之下，林曰，这猫儿日间只拾得几块带肉的骨头吃了，便知痛他者是和尚，每每伏在和尚座下而不去。和尚叹曰，人言最无义者是猫儿，今看养他顾他时，他即恋着不去，以此观之，猫儿义矣。林曰，今之骂人者动以禽兽奴狗骂人，强盗骂人，骂人者以为至重，故受骂者亦自为至重，吁，谁知此岂骂人语也。夫世间称有义者莫过于人，你看他威仪礼貌，出言吐气，好不和美，怜人爱人之状，好不切至，只是还有一件不如禽兽奴狗强盗之处。盖世上做强盗者有二，或被官司逼迫，怨气无伸，遂尔遁逃，或是盛有才力，不甘人下，倘有一个半个怜才者，使之得以效用，彼必杀身图报，不宜忘恩矣。然则以强盗骂人，是不为骂人了，是反为赞叹称美其人了也。狗虽人奴，义性尤重，守护家主，逐亦不去，不与食吃，彼亦无嗔，自去吃屎，将就度日，所谓狗不厌家贫是也。今以奴狗骂人，又岂当乎？吾恐不是以狗骂人，反是以人骂狗了也。至于奴之一字，但为人使而不足以使人者咸谓之奴。世间曷尝有使人之人哉？为君者汉唯有孝高孝文孝武孝宣耳，馀尽奴也，则以奴名人，乃其本等名号，而反怒人，何也？和尚谓禽兽畜生强盗奴狗既不足以骂人，则当以何者骂人，乃为恰当。林遂引数十种，如蛇如虎之类，俱是骂人不得者，直商量至夜分，亦竟不得。乃叹曰，呜呼，好看者人也，好相处者人也，只是一副肚肠甚不可看不可处。林曰，果如此，则人真难形容哉。世谓人皮包倒狗骨头，我谓狗皮包倒人骨头，未审此骂何如？和尚曰，亦不足以骂人。遂去睡。

此文盖系怀林所记，《坚瓠集》甲三云：“李卓吾侍者怀林甚颖慧，病中作诗数首，袁小修随笔载其一绝云，哀告太阳光，且莫急如梭，我有禅未参，念佛尚不多，亦可念也。”所论骂人的话也很聪明，要是仔细一想，人将真有无话可骂之概，不过我的意思并不是完全一样，无话可骂固然是一个理由，而骂之无用却也是别一个理由。普通的骂除了极少数的揭发阴私以外都是咒诅，例如什么杀千刀，乌焦火灭啦，什么王八兔子啦，以及辱及宗亲的所谓国骂，皆是。——有些人以为国骂是讨便宜，其实不是，我看英国克洛来（E. Crawley）所著《性与野蛮之研究》中一篇文章，悟出我们的国骂不是第一人称的直叙，而是第二人称的命令，是叫他去犯乱伦的罪，好为天地所不容，神人所共嫉，所以王八虽然也是骂的材料之一，而那种国骂中决不涉及他的配偶，可以为证。但是我自从不相信符咒以来，对于这一切诅骂也失了兴趣，觉得只可作为研究的对象，不值得认真地去计较我骂他或他骂我。我用了耳朵眼睛看见听见人家口头或纸上费尽心血地相骂，好像是见了道士身穿八卦衣手执七星木剑划破纸糊的酆都城，或是老太婆替失恋的女郎作法，拿了七支绣花针去刺草人的五官四体，常觉得有点忍俊不禁。我想天下一切事只有理与不理二法，不理便是不理，要理便干脆地打过去。可惜我们礼义之邦另有两句格言，叫做“君子动口，小人动手”，于是有所谓“口诛笔伐”的玩艺儿，这派的祖师大约是作《春秋》的孔仲尼先生，这位先生的有些言论我也还颇佩服，可是这一件事实在是不高明，至少在我看来总很缺少绅士态度了。本来人类是有点儿夸大狂的，他从四条腿爬变成两条腿走，从吱吱叫变成你好哇，又（不知道其间隔了几千或万年）把这你好哇一画一画地画在土石竹木上面，实在是不容易，难怪觉得了不得，对于语言文字起了一种神秘之感，于是而有符咒，于是而有骂，或说或写。然而这有什么用呢，在我没有信仰的人看来。出出气，这也是或种解释，不过在不见得否则要成鼓胀病的时候这个似乎也非必须。——天下事不能执一而论，凡事有如鸦片，不吃的可以不吃，吃的便非吃不可，不然便要拖鼻涕打呵欠，那么骂不骂也没有多大关系，总之只“存乎其人”罢了。

村里的戏班子

去不去到里赵看戏文？七斤老捏住了照例的那四尺长的毛竹旱烟管站起来说。

好吧。我踌躕了一会才回答，晚饭后舅母叫表姊妹们都去做什么事去了，反正差不成马将。

我们出门往东走，面前的石板路朦胧地发白，河水黑黝黝的，隔河小屋里“哦”的叹了一声，知道劣秀才家的黄牛正在休息。再走上去就是外赵，走过外赵才是里赵，从名字上可以知道这是赵氏聚族而居的两个村子。

戏台搭在五十叔的稻地上，台屁股在半河里，泊着班船，让戏子可以上下。台前站着五六十个看客，左边有两间露天看台，是赵氏搭了请客人坐的。我因了五十婶的招待坐了上去，台上都是些堂客，老是嗑着瓜子，鼻子里闻着猛烈的头油气。戏台上点了两盏乌黜黜的发烟的洋油灯，呛呛呛地打着破锣，不一会儿有人出台来了，大家举眼一看，乃是多福纲司，镇塘殿的蛋船里的一位老大，头戴一顶灶司帽，大约是扮着什么朝代的皇帝。他在正面半桌背后坐了一分钟之后，出来踱了一趟，随即有一个赤背赤脚，单系一条牛头水裤的汉子，手拿两张破旧的令旗，夹住了皇帝的腰胯，把他一直送进后台去了。接着出来两三个一样赤着背，挽着纽纠头的人，起首乱跌，将他们的背脊向台板乱撞乱磕，碰得板都发跳，烟尘陡乱，据说是在“跌鲫鱼爆”，后来知道在旧戏的术语里叫作摔壳子。这一摔花了不少工夫，我渐渐有点忧虑，假如不是谁的脊梁或是台板摔断一块，大约这场跌打不会中止。好容易这两三个人都平安地进了台房，破锣又哼哼地开始敲打起来，加上了斗鼓的格答格答的声响，仿佛表示要有重要的事件出现了。忽然从后台唱起“呀”的一声，一位穿黄袍，手拿象鼻刀的人站在台口，台下起了喊声，似乎以小孩的呼笑为多：

“弯老，猪头多少钱一斤？……”

“阿九阿九，桥头吊酒，……”

我认识这是桥头卖猪肉的阿九。他拿了象鼻刀在台上摆出好些架势，把眼睛轮来轮去的，可是在小孩们看了似乎很是好玩，呼号得更起劲了，其中夹着一两个大人的声音道：

"阿九，多卖点力气。"

一个穿白袍的撅着一枝两头枪奔出来，和阿九遇见就打，大家知道这是打更的长明，不过谁也和他不打招呼。

女客嗑着瓜子，头油气一阵阵地熏过来。七斤老靠了看台站着，打了两个呵欠，抬起头来对我说道，到那边去看看吧。

我也不知道那边是什么，就爬下台来，跟着他走。到神桌跟前，看见桌上供着五个纸牌位，其中一张绿的知道照例是火神菩萨。再往前走进了两扇大板门，即是五十叔的家里。堂前一顶八仙桌，四角点了洋蜡烛，在差马将，四个人差不多都是认识的。我受了"麦馒烧"的供应，七斤老在抽他的旱烟——"湾奇"，站在人家背后看得有点入迷。胡里胡涂地过了好些时光，很有点儿倦怠，我催道，再到戏文台下溜一溜吧。

嗡，七斤老含着旱烟管的咬嘴答应。眼睛仍望着人家的牌，用力地喝了几口，把烟蒂头磕在地上，别转头往外走，我拉着他的烟必子，一起走到稻地上来。

戏台上乌黯黯的台亮还是发着烟，堂客和野小孩都已不见了，台下还有些看客，零零落落地大约有十来个人。一个穿黑衣的人在台上踱着。原来这还是他阿九，头戴毗卢帽，手执仙帚，小丑似的把脚一伸一伸地走路，恐怕是“合钵”里的法海和尚吧。

站了一会儿，阿九老是踱着，拂着仙帚。我觉得烟必子在动，便也跟了移动，渐渐往外赵方面去，戏台留在后边了。

忽然听得远远地破锣咍咍地响，心想阿九这一出戏大约已做完了吧。路上记起儿童的一首俗歌来，觉得写得很好：

台上紫云班，台下都走散。

连连关庙门，东边墙壁都爬坍。

连连扯得住，只剩一担馄饨担。

（十九年六月）

关于征兵

今天承北大学生会抗日救国会之招，叫我来讲演，这是义不容辞的，但是讲什么呢？这在我是很困难的。第一，我没有什么专门知识，例如外交，军事，政治，经济之类，我都不是专门，要想说话也无所根据。第二，普通的话都已说了，日本强占辽宁的事实，各方面已有详细的报告，我未曾身历其事，自然不能有所增益，至于日本此举之如何横暴，中国抗日之如何进行，不但谈者已多，而且要谈也要根据专门知识才能中肯，我怎么能行。第三，我不知道什么话可以说。前几天大家看见报载日本横田法学博士的议论，对于日本的暴行很加指摘，日本是君主国，言论尚且稍有自由，何况我们民国，言论自由当然是不成问题的。这个我自然知道，但是这里恐怕也有个重要的限制，有些是言论，可以自由的，有些也会不算言论，那就未必可以自由了。这回事变之后，有好些问题我就不知道是否可以讨论的，例如边防军之可否无抵抗问题，与中国方面的责任问题，——暴行的责任在日本那是确实无疑的了，但中国的失地又是哪一位的责任呢？这似乎都不是很小的问题，而一向不听见有人说起，不看见有报纸提起，所以我难免有点儿糊涂了。照第一二点看来，我没有什么可以说的话，照第三点我又不知道什么话可以说，所以归结起来，我实在无可讲演，不过既然是义不容辞的来了，也就不好不说几句话，而说话了也不可不有一个题目，于是便定了这“关于征兵”。大家不要以为[①]我对于别的都无所知，而独关于征兵是专门家。这个我说明只是一个题目，装装门面而已，至于所谈并不一定切题，若是发挥征兵问题的许多精义，那当然更是谈不到了。

这回辽宁事件之发生，大家知道错在日本，但在中国方面没有错么？我想是有的。列位或者要问，土地被占，人民被杀，一点都没有反抗，怎么还有错呢？我想即此便是错。近来中国不知道从哪里得来了一种谬误思想，迷信“公理战胜”，与原有的怯弱，取巧等等劣根性相结合，这是一个大错。原来人是一种生物，无论变化到什么地步，归根结蒂还是生物，生物界的法则在人间还是唯一切实的法则，生物争存，优胜劣败，人类也逃不出这个原则。生存竞争是永久存在的事实，并不始于达尔文的学说发表，也并不就与德皇退位而同时告终。中国从前还想努力过，知道要抵抗外来的强力还只有用强力来对付，曾经想练过兵，想制造过枪炮兵船，可是不知在什么时候（大约是克林德碑改做成公理战胜的牌坊那时候罢），忽然转变方面，想靠“公理”来立国，——但是这似乎以对外居多，对于外国的抵抗，限于开会游行，口号标语，枪炮兵船则留了起来专备对内之用。荏苒十年，这个结果现在看见了。现在，我们还是在迷信公理，依赖国联，还是在开会游行，在喊口号，贴标语，但是这个错我们如今也该明白，该承认了罢。承认了这个错，随后再回过头去另寻出路。吴公稚晖说过，他用机关枪打过来，我就用机关枪打过去，这是世界上可悲的现象，但这却就是生存竞争上唯一的出路。修武备，这是现在中国最要紧的事，而其中最要紧的事则是征兵。

讲到征兵，我的话就完了，因为以后是军事专门的问题，我无从再来插嘴了。但是，有些闲话还可以随便说说。我想中国如行征兵制，于对外可以抵抗之外，特别有几种好处。其一，是老百姓可以少吃点苦。中国至今用的是募兵，平时本无户籍可查，临时一个兵手拿黄旗红旗，到天桥一带走上几转，招了许多穷人来，不问张三李四，不管流氓盗贼，一总给穿上军服，就变了公侯干城的兵士了。这些人素无教育，又迫于贫而或至为非作歹，其来应募又专为饷银，那么其成绩可想而知，俗语道，好男不当兵，可见由来远矣。征兵便不然，征来的兵都有户籍可稽，不收犯法有案的，而且在营不过一二年，不是终身当兵，性情没有变坏，对本国人民总要好些。从前冯焕章先生带领的军队驻扎北京（那时还叫北京）一带，声名极好，便因为能“不扰民”的缘故，可知募兵要训练到不扰民是怎么不容易，只有冯先生才能办到，但是在征兵则不扰民的一项至少总可以做到了罢。其二，内乱可以减少。从前募兵，谁募的就是谁的兵，往往看见兵士的袖子上缀着一个李字或什么字，大家讲得来时还好，一点不对，便以我的兵攻你的兵，结果就是一场内战。还有一层，募兵是为饷银而来的，只要钱多便可以出力，于是今天给五万，往西去攻甲，明日给十万，再转往东去攻乙，都没有什么不可以。这样下去，内乱可以没有完结。征兵不是为钱来的，也不是谁一家的兵，要叫他那样地去打仗，大约不大容易。只要他们不当一家的军队，不贪赏钱，那么内乱自然发生不起来，中国也可望安定了。

征兵虽然有这些好处，可是要实行也不容易。我想这里至少有三个条件，如有一条不对这事休想成功。第一，假如中国要用党军，征兵就不能办。党军是应该以党员去担任的，我们非党员不但无此义务，也无此权利。第二，假如中国要用募兵，征兵也不能办。这句话似乎说得有点可笑，其实是有理由的。征兵固然有种种好处，却也难免有种种不方便处。例如征兵手续麻烦，募兵则只须拿了旗到市上去招，便可以要多少招多少。又如大家还是我怕你你怕我，想要手下有点实力，进可以攻，退可以守，那么征兵断不济事，没有募兵那样方便，可以指挥如意。还有，征兵比较地要有点教育，有点思想，这也就有点儿危险性。近三四十年[②]来中国并不是没有想到征兵，如张之洞李鸿章辈多有此意，但是不能实行，一直到了民国也还是不能实行。为什么呢？这理由是很简单的。“宁赠友邦，不给家奴。”前清怕的是汉族，北洋派怕的是民党，征兵多少有点知识，就多少有革命之可能。为防止政权落在汉族，民党或别党的手里，不用征兵也就是一种消极的手段，而用募兵则更是积极的有效的手段了。第三，假如国民没有当兵的诚意，虽然政府想办征兵，那也办不成功。天下事空说容易实行难。当兵并不是一件好玩的事，是要拼得出苦，拼得出死的。我们现在惯于宣传，养成大言不惭的习气，我们把头发推光，穿上一身漂亮的军服，系上官长似的阔皮带，即使不借了兵势去盛气凌人，也觉得很有威风，像煞是一名勇士了。但是，当兵不单是如此而止，还得去实行，扛上半天枪肩膀要发痛，走上一天路腿要提不起来，上了战场，性命要没有，这都得预先算在账里的。如没有这个决心，单是应时小卖似地喊宣战喊上前敌，却是吃不起苦，那么什么都是废话，还是不说好了。我觉得我国人缺少的便是诚意，上上下下都是你骗我我骗你，说诳，用手段，取巧，笼统地批评一句，正如笑话里所说，割了叫化子的股去做孝子。看来看去，上边似乎未必要征，下边也似乎未必会应征，我这一番空话似乎也正切题，来充做应时点景的征兵论。这是我所觉得最可羞耻的。

（二十年十月二十七日在北京大学讲演）

【锺校】

①原无“为”字，今增。

②原无“年”字，今增。

图书在版编目(CIP)数据

看云集/周作人著作;锺叔河编订.—长沙:岳麓书社,2019.1
(2022.7重印)

ISBN 978-7-5538-0898-7

Ⅰ.①看… Ⅱ.①周…②锺… Ⅲ.①散文集—中国—现代
Ⅳ.①I266

中国版本图书馆CIP数据核字(2018)第035436号

KAN YUN JI

看云集

周作人著作　锺叔河编订

特约编辑:鄢　琨

责任编辑:蒋　浩

责任校对:舒　舍

书籍设计:风格八号

岳麓书社出版发行

地址:湖南省长沙市爱民路47号

直销电话:0731-88804152　0731-88885616

邮编:410006

版次:2019年1月第1版

印次:2022年7月第3次印刷

开本:787mm×1092mm　1/32

印张:6.625

字数:107千字

印数:7001—9000

书号:ISBN 978-7-5538-0898-7

定价:24.00元

承印:长沙鸿发印务实业有限公司

如有印装质量问题,请与本社印务部联系

电话:0731-88884129